L'environnement

Jean-François Beaux

NATHAN

SOMMAIRE

Divisé en six parties, l'ouvrage s'organise par doubles pages.
Chaque double page fait le point sur un thème
et fonctionne de la façon suivante.

À gauche
Une page synthèse apporte toutes
les informations pour comprendre
le sujet de la double page.

À droite
Une page explication développe
un point particulier qui illustre
et complète la page de gauche.

Le menu aide à repérer
les six parties du livre.

Le titre de la page de droite
met en lumière
un point particulier.

Le titre annonce
le thème de la double page.

Quelques lignes d'introduction
présentent les principaux
éléments du sujet.

LES MILIEUX DE VIE
L'ATMOSPHÈRE
LES EAUX
FLORE ET FAUNE
LES RISQUES
LES ÉVOLUTIONS

L'effet de serre

Des études récentes montrent que la tem...érature moyenne de la Terre, qui se situe entre 14 et 15 °C, a augmenté depuis le siècle dernier, selon les estimations, de 0,3 à 0,6 °C, pour atteindre en 1995 une valeur maximale. Ces données alimentent un débat complexe sur l'effet de serre.

■ L'effet de serre, un phénomène naturel

□ L'atmosphère laisse passer une partie (environ les deux tiers) du rayonnement solaire qui échauffe la surface terrestre, le tiers restant étant réfléchi. La surface échauffée réémet vers l'atmosphère des rayonnements de longueur d'ondes différentes, correspondant à des infrarouges. À la différence des radiations solaires parvenues jusqu'à la surface de la Terre (radiations incidentes), ces rayons infrarouges réémis sont alors piégés, c'est-à-dire absorbés, par certains constituants de l'atmosphère. L'énergie des rayons est alors conservée, ce qui accroît la température de la basse atmosphère.

□ L'effet de serre est ainsi appelé par analogie avec ce qui se passe dans une serre dont les parois vitrées arrêtent les radiations infrarouges émises par le sol. L'effet de serre est donc un phénomène naturel. Il participe de façon prépondérante à l'équilibre thermique de la planète, dont la température moyenne, sans lui, s'établirait aux alentours de -18 °C.

■ Les gaz à effet de serre

□ Les gaz à effet de serre sont les gaz susceptibles d'absorber les rayonnements infrarouges émis par la surface terrestre. Les principaux gaz à effet de serre sont la vapeur d'eau, le dioxyde de carbone (CO_2), le méthane (CH_4), les oxydes d'azote (protoxyde d'azote, N_2O), les chlorofluorocarbones (ou CFC) et l'ozone stratosphérique. La participation des différents constituants à l'effet de serre dépend de leur concentration et de leurs propriétés physico-chimiques d'absorption des infrarouges émis par le sol. À masse égale, le méthane, le protoxyde d'azote ou les CFC ont ainsi des capacités d'absorption égales, respectivement, à 20, 50 et 4 000 à 5 000 fois celle du CO_2. Les CFC, bien que faiblement représentés dans l'atmosphère, ont ainsi un effet important, d'autant qu'ils peuvent y persister longtemps (plusieurs dizaines d'années).

L'équilibre thermique de la Terre

Participation des gaz à effet de serre en 1990 (sans la vapeur d'eau)
CO_2 55 %
autres ozone 2 %
méthane CH_4 15 %
N_2O 4 %
CFC 21 %

50

■ L'origine des gaz à effet de serre

Certains gaz à effet de serre sont naturellement présents dans l'atmosphère (eau, H_2O ; dioxyde de carbone, CO_2). Les activités humaines ont considérablement accru la concentration en certains composés, comme le CO_2, le protoxyde d'azote ou le méthane, et déterminé l'apparition de nouveaux constituants comme les CFC.

Le dioxyde de carbone provient pour l'essentiel de la combustion des roches carbonées. Le méthane résulte principalement de la décomposition bactérienne de la matière organique dans des milieux pauvres en oxygène (zones marécageuses, rizières, décharges, mais aussi panse des ruminants) et de l'exploitation des ressources énergétiques.

Les combustions apparaissent comme une des principales sources de protoxyde d'azote (N_2O) alors que les CFC sont d'origine industrielle.

■ Reconstitution de l'évolution

Il est possible de reconstituer l'évolution des concentrations grâce aux mesures atmosphériques et à l'analyse de bulles d'air contenues dans des carottes de glace forées en Antarctique et qui constituent des témoins d'atmosphères passées.

L'étude des bulles d'air d'une carotte glaciaire prélevée à la base russe de Vostok, en Antarctique, permet de suivre l'évolution de la concentration en CO_2 et en méthane au cours des 150 000 dernières années. La mise en relation avec l'évolution des températures, déterminée à partir de certains éléments chimiques, montre une corrélation entre température élevée et accroissement des concentrations, sans que toutefois celle-ci permette d'établir avec certitude une relation de causalité.

■ Des concentrations croissantes

Les concentrations en dioxyde de carbone et en méthane et leur vitesse d'accroissement sont aujourd'hui plus élevées que jamais. Du fait de leur temps de décroissance, leur influence sur l'effet de serre peut s'étendre sur plusieurs dizaines d'années.

Les sources de méthane naturelles et liées aux activités humaines (Mt/an)

L'évolution des gaz à effet de serre d'origine humaine

Concentration dans l'atmosphère	CO_2	Méthane CH_4	CFC11	CFC12	Protoxyde d'azote N_2O
Unité	ppmv	ppmv	pptv	pptv	ppbv
Niveau glaciaire (il y a 2 000 ans)	200	0,35	0	0	90
Niveau pré-industriel	280	0,8	0	0	280
Niveau actuel	355	1,72	280	484	310
Variation annuelle	1,8 (0,5 %)	0,015 (0,9 %)	10 (4 %)	17 (4 %)	0,8 (0,25 %)
Temps de décroissance dans l'atmosphère (années)		10	60	120	150

ppmv : partie par million en volume (10^{-6}) ; ppbv : partie par milliard en volume (10^{-9}) ; pptv : partie par billion en volume (10^{-12})

51

Les sous-titres permettent
de saisir l'essentiel en
un coup d'œil.

Le schéma aide à mieux
visualiser les mécanismes.

Le tableau récapitule les
informations nécessaires
à la compréhension du sujet.

LES MILIEUX DE VIE
L'ATMOSPHÈRE
LES EAUX
FLORE ET FAUNE
LES RISQUES
LES ÉVOLUTIONS

Écologie et écosystèmes

> Au cours des dernières années, les préoccupations suscitées par l'environnement et sa sauvegarde ont entraîné l'usage de plus en plus fréquent du mot écologie, dont la signification est d'abord scientifique. L'objet essentiel de l'écologie est l'étude des écosystèmes.

L'écologie, une science biologique

☐ L'écologie, terme créé en 1866 par le biologiste allemand Ernst Haeckel, étudie les relations des êtres vivants avec leur environnement ainsi que les relations existant entre les organismes qui peuplent un même milieu.

☐ Les études peuvent ainsi concerner les rapports entre une espèce donnée et son milieu. Elles sont alors conduites à l'échelle de l'organisme ou de la population, c'est-à-dire l'ensemble des individus de l'espèce observés dans le milieu considéré.

☐ Mais l'écologie s'intéresse le plus souvent à l'ensemble des espèces vivant dans le milieu étudié. Cet ensemble forme une communauté appelée biocénose. A l'échelle du globe, la totalité des êtres vivants peuplant les différents milieux est appelée biosphère.

☐ L'écologie apparaît donc comme une science très vaste, réalisant la synthèse de données acquises dans de multiples domaines des sciences biologiques (génétique, éthologie ou étude des comportements…).

Les écosystèmes

☐ Un milieu de vie donné présente des caractéristiques physiques et chimiques déterminées : pour un lac, par exemple, il peut s'agir de la température, de la composition des eaux… Cet environnement, défini par ses caractéristiques, est un biotope. Il est peuplé par une biocénose. Le biotope et la biocénose sont liés par de multiples interactions et forment ensemble un écosystème. De nombreuses relations existent entre les organismes. Elles sont souvent de nature alimentaire et sont dites alors relations trophiques. Des animaux unis par des relations trophiques définissent une chaîne alimentaire. Dans un milieu, de multiples chaînes existent, dessinant un réseau complexe, appelé réseau trophique de l'écosystème. La niche écologique d'un animal est à la fois son habitat et sa position dans le réseau trophique. Chaque écosystème présente de nombreuses niches écologiques dans lesquelles se distribuent les différents êtres vivants.

☐ De nombreux écosystèmes existent à la surface du globe. Ils sont, selon les cas, aquatiques ou terrestres, et peuvent correspondre à des environnements d'extension variable, par exemple de l'échelle de l'océan à celle de la mare, de l'échelle de la forêt à celle d'un simple tronc d'arbre mort.

☐ Pour décrire un écosystème, on indique les caractéristiques du biotope et on réalise l'inventaire des êtres vivants qui le peuplent, en notant l'abondance et la fréquence des espèces rencontrées. Ces études permettent une approche dynamique, visant à reconstituer l'évolution dans le temps des différentes populations ou à préciser les relations existant entre elles à un moment donné.

■ L'exemple de l'océan

Dans un écosystème, les êtres vivants utilisent pour se développer les ressources du milieu et présentent entre eux de nombreuses relations, le plus souvent de nature trophique, c'est-à-dire alimentaire. Dans une chaîne alimentaire, chaque organisme est un maillon qui constitue une source de nourriture pour le maillon suivant. Une chaîne alimentaire débute toujours par des végétaux chlorophylliens, qui sont des producteurs primaires : ils sont capables d'utiliser les substances minérales (dioxyde de carbone, nitrates...) pour fabriquer par photosynthèse leur matière organique. Ces producteurs primaires (dans l'exemple ci-dessous, le phytoplancton) servent de nourriture aux consommateurs herbivores (ici, le zooplancton, ou certains poissons comme le sar). Ceux-ci alimentent une succession de consommateurs carnivores (ici, l'anchois, le thon, le requin ou le dauphin). Chaque maillon de la chaîne définit un niveau trophique : des producteurs primaires, des consommateurs de premier ordre (consommateurs herbivores), de deuxième ordre (premiers consommateurs carnivores...).

Les différents niveaux trophiques d'une chaîne alimentaire

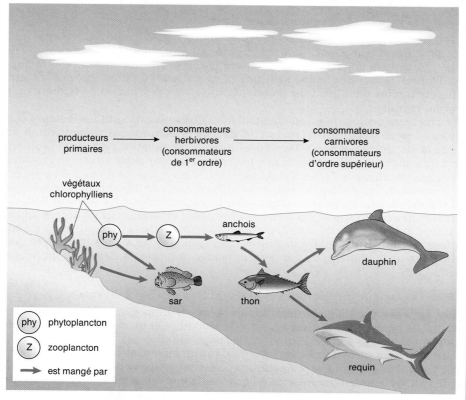

producteurs primaires → consommateurs herbivores (consommateurs de 1er ordre) → consommateurs carnivores (consommateurs d'ordre supérieur)

végétaux chlorophylliens

anchois

dauphin

sar   thon

(phy) phytoplancton

(z) zooplancton

➤ est mangé par

requin

Milieux de vie et facteurs écologiques

> L'environnement d'un organisme est constitué par son milieu de vie. Celui-ci présente un ensemble de caractéristiques susceptibles d'agir sur la répartition des êtres vivants.

La diversité des milieux de vie

Des zones littorales aux profondeurs océaniques, des forêts tropicales aux neiges des montagnes, les visages de la Terre révèlent une grande diversité de milieux. Ceux-ci peuvent être classés en deux grands types, de caractéristiques très différentes : les milieux aquatiques et les milieux aériens. La diversité constatée au sein de chaque type résulte d'un ensemble de facteurs liés aux reliefs, aux climats ou à la composition des eaux et des sols. Les milieux aquatiques comprennent les milieux marins et les milieux d'eau douce alors que les milieux aériens (souvent appelés terrestres) peuvent différer profondément, par exemple par leur disponibilité en eau ou leur température.

Les facteurs écologiques des milieux

□ Certains facteurs du milieu, comme les conditions climatiques (température, précipitations, éclairement…) ou les caractéristiques chimiques (composition des eaux…), exercent une influence directe sur les êtres vivants : ce sont des facteurs écologiques. D'autres, comme l'altitude ou la profondeur, n'ont qu'une influence indirecte par les modifications de température, de pression ou de lumière qu'ils peuvent entraîner.

□ Les facteurs écologiques indépendants des êtres vivants sont les facteurs abiotiques : il peut s'agir des facteurs climatiques et édaphiques (composition chimique et structure des sols). Mais l'évolution des populations est aussi profondément influencée par les relations que peuvent présenter entre eux les organismes. Les relations intraspécifiques s'établissent entre les individus d'une même espèce, les relations interspécifiques, entre individus d'espèces différentes. Ces relations constituent des facteurs écologiques dits biotiques. Elles sont souvent liées à la nutrition des organismes : certaines espèces sont exploitées par d'autres, qui les chassent et les tuent (prédation) ou vivent à leurs dépens (parasitisme). Il s'agit parfois de compétition entre individus ; par exemple, les arbres entrent en compétition pour la lumière, ce qui peut diminuer, à terme, la densité d'un peuplement.

Les facteurs écologiques et la répartition des êtres vivants

□ Les facteurs écologiques déterminent la répartition géographique des êtres vivants. Ils peuvent influer sur les taux de fécondité et de mortalité des espèces, modifiant ainsi la densité et l'équilibre des populations.

□ Des facteurs nouveaux peuvent surgir dans un milieu, altérant son équilibre. Il peut s'agir d'un phénomène climatique accidentel, orage et incendie par exemple, ou de l'introduction d'organismes à l'origine de nouvelles maladies. Les activités humaines peuvent également constituer de nouveaux facteurs écologiques,

LES FACTEURS ÉCOLOGIQUES DE LA FORÊT

De la litière du sol aux plus hautes branches de la fûtaie, une forêt naturelle constitue un milieu riche de milliers d'espèces animales et végétales. Leur nature et leur répartition sont guidées par un ensemble de facteurs écologiques. Certains sont liés aux caracté-ristiques du milieu, comme les facteurs climatiques ou édaphiques (nature du sol) ; d'autres dépendent de l'activité des êtres vivants, la cohabitation entre espèces différentes pouvant avoir sur chacune d'elles des effets favorables, défavorables ou inexistants.

Les différents facteurs

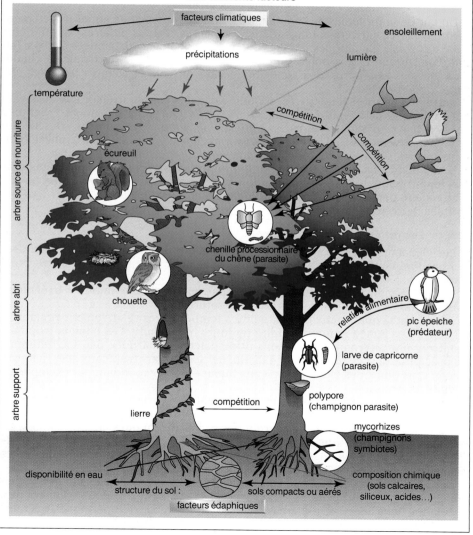

LES MILIEUX DE VIE

L'ATMOSPHÈRE

LES EAUX

FLORE ET FAUNE

LES RISQUES

LES ÉVOLUTIONS

Les climats de la Terre

> Le climat est le résultat de l'ensemble des phénomènes météorologiques qui affectent l'atmosphère. Les principaux facteurs climatiques sont les températures, les précipitations et l'ensoleillement. Ils influent profondément sur le peuplement des milieux par les animaux et les végétaux.

Des zones climatiques d'extension variable

☐ Du fait de la direction du rayonnement solaire, les régions équatoriales reçoivent par mètre carré davantage d'énergie que les régions polaires, ce qui détermine des zones climatiques parallèles, ou climats zonaux, distribuées selon la latitude. De l'équateur aux pôles, on distingue ainsi une zone intertropicale chaude puis, de part et d'autre, des zones tempérées et, vers les hautes latitudes, des zones polaires froides.

☐ Cette distribution générale est modifiée par des facteurs régionaux ou locaux qui expliquent la diversité des climats observés. Les climats régionaux, définis à des échelles de quelques centaines à quelques milliers de kilomètres, sont liés aux grands mouvements de l'atmosphère (anticyclones...) et de l'hydrosphère (courants marins...) et peuvent être sous l'influence de massifs montagneux.

☐ Les climats locaux s'expriment sur des superficies plus réduites. Ils dépendent du climat régional, modifié par exemple par la présence de reliefs. Enfin, au sein d'un milieu, peuvent exister des microclimats liés, par exemple, à des variations limitées de la circulation de l'air.

Les différents types de climats

☐ Les climats présentent une grande diversité, due à de nombreux facteurs. Ceux qui ont l'impact écologique le plus important sont la température et les précipitations.

☐ Les climats désertiques sont marqués par une pluviosité faible et irrégulière, avec de grands écarts journaliers de température.

☐ Les climats équatoriaux présentent des températures relativement constantes au cours de l'année et une humidité toujours importante. Les climats tropicaux montrent une alternance de saisons principalement marquée par une différence de précipitations, ce qui conduit à distinguer les climats tropicaux secs, à longue saison sans pluie, des climats tropicaux humides, correspondant par exemple aux climats de mousson.

☐ Les zones tempérées et polaires présentent des variations saisonnières de la longueur du jour, qui influent de manière importante sur la végétation. Les climats océaniques humides et doux montrent des écarts thermiques annuels faibles. Les climats continentaux sont caractérisés par une saison hivernale longue et froide, qui équivaut pour les végétaux à une saison sèche, le froid inhibant les mécanismes d'absorption de l'eau par les racines.

☐ Dans les climats méditerranéens, où les hivers sont modérés et généralement courts, la période de sécheresse correspond à l'été. Enfin, le développement de la végétation dans les zones polaires est limité par les basses températures, qui ralentissent les processus biologiques, et la durée limitée de l'éclairement en hiver.

LES GRANDES ZONES CLIMATIQUES

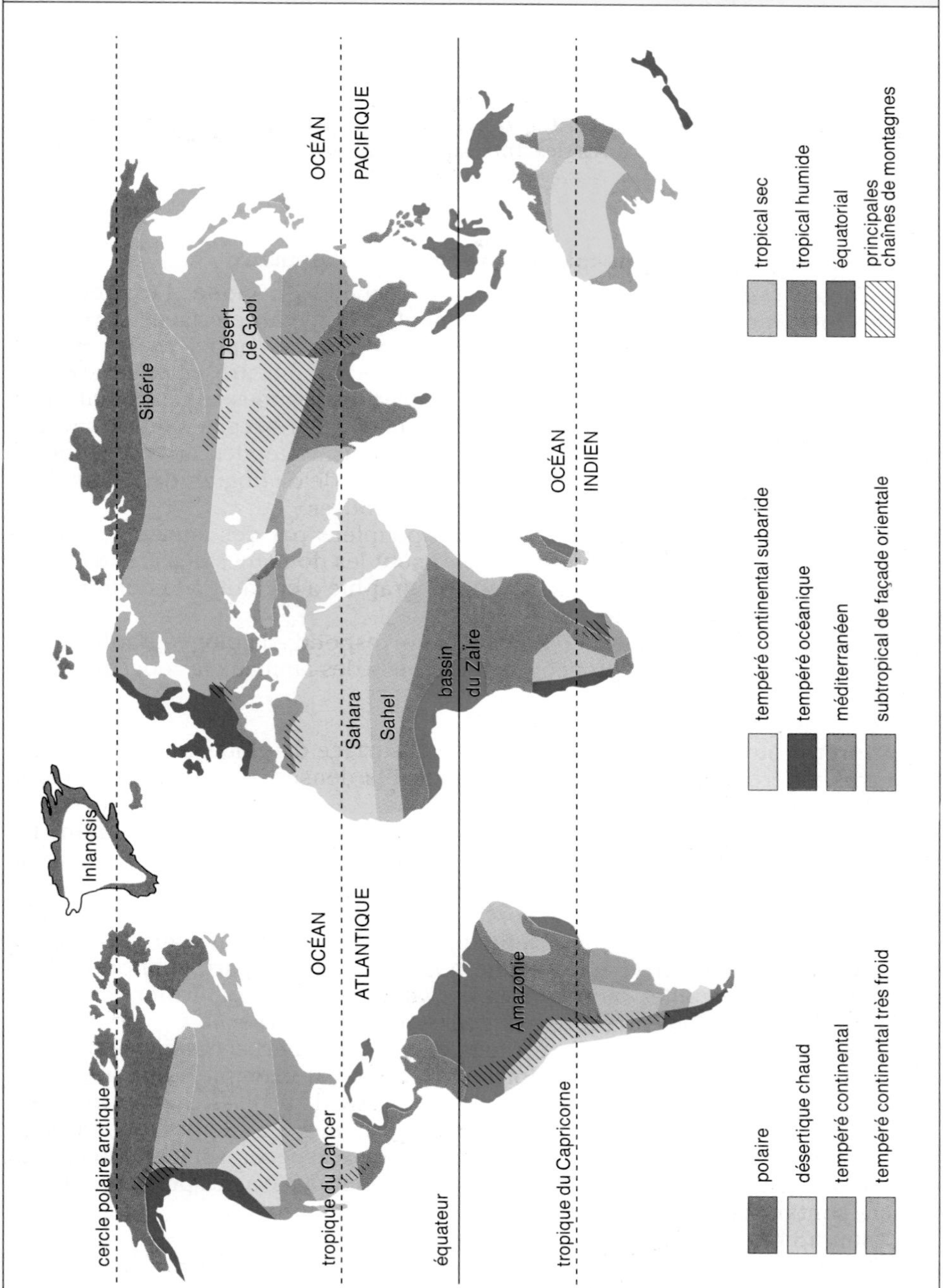

cercle polaire arctique

tropique du Cancer

équateur

tropique du Capricorne

OCÉAN ATLANTIQUE

OCÉAN PACIFIQUE

OCÉAN INDIEN

Inlandsis

Sibérie

Désert de Gobi

Sahara

Sahel

bassin du Zaïre

Amazonie

tempéré continental subaride
tempéré océanique
méditerranéen
subtropical de façade orientale

tropical sec
tropical humide
équatorial
principales chaînes de montagnes

polaire
désertique chaud
tempéré continental
tempéré continental très froid

LES MILIEUX DE VIE

L'ATMOSPHÈRE

LES EAUX

FLORE ET FAUNE

LES RISQUES

LES ÉVOLUTIONS

Les zones écologiques de la Terre

L'étude des peuplements végétaux et animaux permet de définir différentes zones écologiques qui peuvent être distinguées les unes des autres par la nature de leur couvert végétal.

La géographie des peuplements végétaux et animaux

☐ Les facteurs écologiques déterminent, à l'échelle du globe, l'existence de grandes formations végétales. Ces communautés, bien caractérisées et relativement homogènes du point de vue de leur physionomie, sont appelées des biomes, qui correspondent à de grandes biocénoses. Ces formations présentent une extension généralement considérable, en relation avec les grandes zones climatiques. La prairie de l'Ouest américain, les forêts de feuillus de nos régions ou les savanes africaines constituent des exemples de formations végétales aisément identifiables. Au sein de chaque formation, il est possible de distinguer des ensembles plus homogènes, constituant de plus petites biocénoses.

☐ Les différentes formations végétales sont peuplées par des ensembles variés d'animaux : par exemple, savanes et prairies sont les domaines des grands herbivores. La répartition des animaux, ou zoogéographie a conduit à la définition de grandes provinces faunistiques.

☐ L'étude de la répartition des êtres vivants correspond à la biogéographie, celle des végétaux constitue la phytogéographie et celle des animaux la zoogéographie.

Les grandes formations végétales

☐ Les forêts couvrent une grande partie de la surface du globe, avec des formations très différentes selon la latitude, des forêts denses, équatoriales et tropicales, à la forêt du nord de l'Amérique et de l'Asie.

☐ Les savanes sont constituées de plantes herbacées hautes et rigides. Dans les régions où la saison sèche est longue, on observe la savane herbeuse, dépourvue d'arbres sauf en bordure des cours d'eau (forêts-galeries). Lorsque la saison sèche est moins longue, c'est la savane arborée, parsemée d'arbres (comme le baobab) et de buissons, qui se développe. Enfin, dans les régions bénéficiant d'une humidité plus régulière, on trouve la savane boisée ou savane-parc, comportant de nombreux arbres à feuilles caduques. Les savanes tropicales peuvent représenter des formes de transition entre forêts humides et zones plus sèches.

☐ Les steppes ou prairies sont des formations végétales herbacées souvent observées dans les zones sèches des régions tempérées, par exemple à l'intérieur des continents (grandes plaines de l'Amérique du Nord, de l'Asie, ou pampa de l'Argentine). Dans des environnements semi-désertiques, les steppes apparaissent sous forme de tapis végétaux discontinus dont les espèces sont adaptées à la sécheresse. Dans les sols plus riches en eau, elles font place à des prairies dont les espèces sont plus diversifiées.

☐ La toundra est la formation végétale la plus septentrionale. Elle est principalement constituée de plantes rases, lichens, mousses et plantes herbacées. Dans les parties plus méridionales apparaissent des bouleaux et des saules nains.

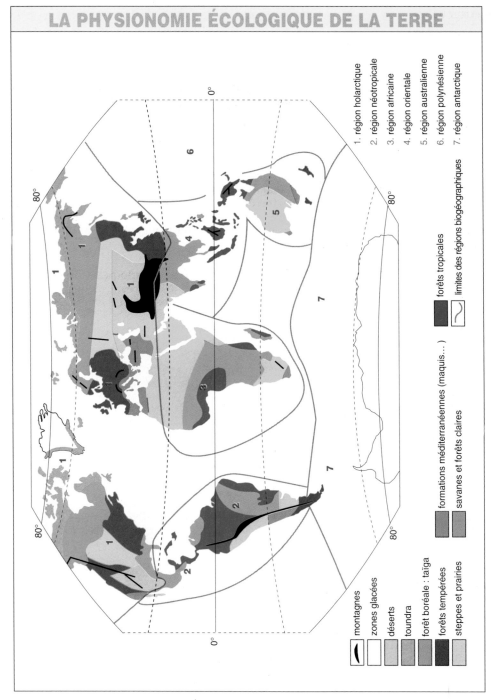

montagnes
zones glacées
déserts
toundra
forêt boréale : taïga
forêts tempérées
steppes et prairies

formations méditerranéennes (maquis...)
savanes et forêts claires
forêts tropicales
limites des régions biogéographiques

1. région holarctique
2. région néotropicale
3. région africaine
4. région orientale
5. région australienne
6. région polynésienne
7. région antarctique

Les domaines écologiques de la France

> Malgré les modifications liées aux activités humaines, il est possible de distinguer, en France, trois grands domaines écologiques, caractérisés par des types différents de forêt.

Le couvert végétal français

Le défrichement par l'homme a profondément modifié la distribution de la végétation. Aujourd'hui, 35 % (soit 192 000 km^2) de la superficie totale de la France (549 000 km^2) sont occupés par des terres cultivées, et 21 % (114 000 km^2) par des surfaces en herbe. L'ensemble (soit 56 % de la surface) représente la surface agricole utile. Les forêts couvrent environ 28 % de la superficie (soit 152 000 km^2).

Le domaine atlantique

Il correspond à la forêt tempérée formée d'arbres à feuilles caduques (forêt caducifoliée). Les essences dominantes sont les chênes et les hêtres. Ces derniers, qui supportent mieux le froid et exigent plus d'humidité, s'observent davantage dans la partie Est du domaine, jusqu'à 1 500 mètres d'altitude. À ces arbres sont associés bouleaux et conifères dans la partie Nord, châtaigniers et pins maritimes en Aquitaine.

Le domaine méditerranéen

La forêt, adaptée à la sécheresse de l'été, présente des arbres à feuilles persistantes : chêne vert, chêne-liège, pin parasol et parfois olivier. Du fait de l'occupation humaine et des incendies, la forêt cède souvent la place aux garrigues et aux maquis.

Le domaine montagnard

La végétation varie de manière considérable avec l'altitude. Des collines aux hauts sommets, les formations végétales se disposent en étages qui apparaissent nettement dans les paysages.

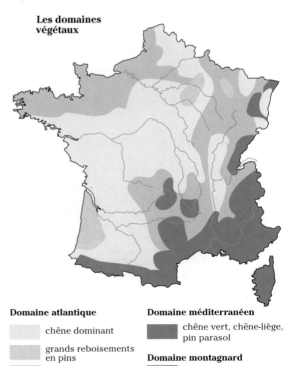

Les domaines végétaux

Domaine atlantique

chêne dominant

grands reboisements en pins

hêtre et chêne

Domaine méditerranéen

chêne vert, chêne-liège, pin parasol

Domaine montagnard

feuillus, pins, résineux

■ Les variations des facteurs climatiques

Malgré la superficie relativement modeste de la France, les facteurs climatiques peuvent montrer des variations importantes susceptibles d'influer sur la distribution des êtres vivants.

	moyennes janvier		moyennes juillet			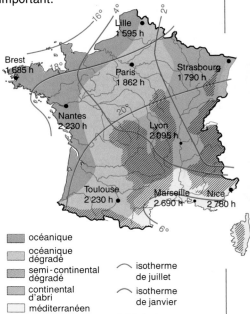			
	minimum	maximum	minimum	maximum	jours de gel	quantités en mm	jours de pluie	jours de neige	heures de soleil
Pointe du Raz	6	9	14	19	6	700	170	3	1817
Dunkerque	2	6	14	20	32	650	165	10	1 720
Mont-de-Marsan	1	10	14	26	55	890	160	8	1 963
Orléans	0	6	12	24	63	620	156	13	1 729
Nancy	-2	4	12	23	83	730	161	24	1 633
Toulon	6	13	18	28	4	680	81	1	2 917
Pic du Midi	- 10	- 4	4	10	257	1 048	175	131	2 188

■ Les différents climats

Ces variations conduisent à définir trois types de climats tempérés qui se partagent inégalement le territoire : les climats océanique, semi-continental et méditerranéen, auxquels s'ajoute le climat de montagne.

Le climat océanique présente des hivers doux et des étés tièdes. Sous l'effet des vents d'ouest, les précipitations sont fréquentes. Des nuances s'observent en fonction de la latitude et de l'éloignement à l'intérieur des terres. Les écarts de température juillet-janvier s'accroissent vers l'Est alors que les précipitations diminuent.

Le climat semi-continental s'observe dans l'est de la France. Il est caractérisé par des hivers froids et des étés chauds et orageux, marqués par de nombreuses précipitations. Les écarts de température entre juillet et janvier sont importants, dépassant 18 °C.

Le climat méditerranéen caractérise les zones côtières de la Méditerranée, protégées des influences océaniques par les montagnes. Il se définit par un rayonnement solaire important, des hivers doux et une sécheresse estivale. C'est en automne et au printemps que les précipitations sont les plus fréquentes ; elles tombent souvent sous forme d'averses violentes.

Le climat de montagne se caractérise par un hiver long et rigoureux et par des précipitations abondantes. Celles-ci donnent un enneigement hivernal important.

Brest
1 685 h

Lille
1 595 h

Paris
1 862 h

Strasbourg
1 790 h

Nantes
2 230 h

Lyon
2 095 h

Toulouse
2 230 h

Marseille
2 690 h

Nice
2 780 h

océanique

océanique dégradé

semi-continental dégradé

continental d'abri

méditerranéen

influence montagnarde

isotherme de juillet

isotherme de janvier

2 095 h : heures d'ensoleillement

LES MILIEUX DE VIE

L'ATMOSPHÈRE

LES EAUX

FLORE ET FAUNE

LES RISQUES

LES ÉVOLUTIONS

Les milieux marins

Les océans couvrent 71 % de la surface du globe, soit environ 360 millions de km^2. Leur profondeur moyenne est de 3 800 mètres. Un océan présente différents domaines qui constituent autant de zones écologiques. Les courants océaniques peuvent influer sur la répartition des êtres vivants.

Les caractères de l'eau de mer

☐ L'eau de mer renferme environ 35 grammes par litre de substances dissoutes, qui sont principalement du chlorure de sodium (77,8 %), du chlorure de magnésium (9,7 %), du sulfate de magnésium (5,7 %), du sulfate de calcium (3,7 %), du chlorure de potassium (1,7 %) et du carbonate de calcium (0,3 %). Cette salinité moyenne de 35 ‰ peut atteindre 41 ‰ dans la mer Rouge et s'abaisser à 12 ‰ dans la Baltique.

☐ L'eau de mer absorbe les radiations lumineuses. Ce sont les radiations bleues qui pénètrent le plus profondément, sans toutefois dépasser une profondeur de 200 mètres. Cette zone atteinte par la lumière est la zone euphotique.

☐ La température diminue à mesure que l'on s'éloigne de la surface. Au-delà de 4 000 mètres de profondeur, la température des eaux est constante, entre 2 et 4 °C.

Les grands domaines océaniques

☐ Le milieu océanique comprend le domaine benthique, correspondant aux fonds marins, et le domaine pélagique, ou domaine de pleine eau.

☐ Le domaine benthique peut être divisé en étages, selon la profondeur des fonds. Du littoral vers le large, on observe d'abord le plateau continental, dont la largeur peut atteindre 200 km jusqu'à une profondeur d'environ 200 mètres. Au niveau du plateau sont définis différents étages dont l'étage médiolittoral, qui correspond à la zone de balancement des marées. Les eaux recouvrant le plateau constituent la province néritique.

☐ Au-delà du plateau s'étend la province océanique. Le talus continental descend jusqu'à l'étage abyssal, représenté par des plaines de profondeur d'environ 4 000 mètres. Celles-ci sont parfois interrompues par les reliefs des dorsales océaniques, qui les dominent de plus de 2 000 mètres. L'étage hadal est celui des fosses, dont la profondeur peut dépasser 10 000 mètres.

☐ Dans le domaine pélagique, on distingue principalement la zone euphotique, jusqu'à 200 mètres de profondeur, éclairée et affectée par des variations thermiques saisonnières qui s'estompent avec la profondeur.

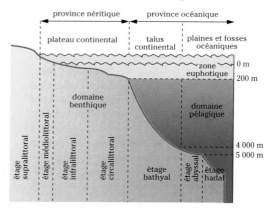

Les domaines océaniques

14

LES COURANTS OCÉANIQUES

■ Des courants de surface

Les océans sont animés par un ensemble de courants brassant les eaux de surface. Ceux-ci dessinent de vastes cellules dont le sens de rotation est variable selon la latitude et l'hémisphère : par exemple, le Gulf Stream, courant chaud, s'intègre dans une boucle circulant dans le sens des aiguilles d'une montre, alors que le courant froid du Labrador, situé plus au nord, a un sens de rotation opposé. Ces courants, dont la vitesse peut atteindre par endroits 1 à 2 mètres par seconde, provoquent des transferts d'eau considérables d'une zone océanique à une autre. Ces courants sont engendrés par l'inégale répartition de l'énergie solaire reçue au niveau des zones équatoriales et polaires. Ils sont en relation avec la circulation atmosphérique des vents. Leur direction est affectée par une force liée à la rotation de la Terre, la force de Coriolis, qui les dévie (déviation de Coriolis) vers la droite dans l'hémisphère Nord et vers la gauche dans l'hémisphère Sud.

■ Des courants profonds

Dans les zones polaires, les eaux sont plus froides et plus salées. Du fait des sels excédentaires rejetés par la congélation de l'eau, elles deviennent plus denses et tendent à s'enfoncer sous les eaux de surface. Leur circulation est lente, de l'ordre du millimètre par seconde. Les datations au carbone 14 montrent que les eaux circulent longtemps en profondeur avant de remonter, selon une géographie encore mal connue.

■ Des courants d'upwelling

Ce sont des remontées d'eaux profondes le long des côtes ouest de l'Afrique et de l'Amérique. Des vents dominants chassent vers le large les eaux superficielles, remplacées par des eaux plus profondes. Celles-ci, riches en éléments nutritifs, permettent un développement considérable du phyto-plancton qui alimente les chaînes alimentaires. Ces zones sont riches en poissons et en oiseaux (ex. : l'archipel des Galapagos).

El Niño

Le phénomène El Niño correspond à une modification de la circulation océanique dans le Pacifique. Il se produit tous les trois à quatre ans, vers la fin de l'année, d'où son nom d'El Niño ou enfant Jésus donné par les pêcheurs péruviens. Pour ceux-ci, El Niño se manifeste d'abord par une diminution considérable des prises le long des côtes sud-américaines dont les eaux sont habituellement poissonneuses, du fait de remontées d'eaux froides riches en matières nutritives. Ces remontées sont la conséquence des alizés, qui, soufflant du nord-est, chassent vers l'ouest les eaux superficielles et chaudes du Pacifique. Les masses d'eau chaude, maintenues à l'ouest du Pacifique, sont le siège d'une évaporation intense qui alimente des précipitations abondantes sur l'Asie du Sud-Est et l'Indonésie. La côte sud-américaine est au contraire très sèche.

Le phénomène El Niño correspond à un affaiblissement des alizés, alors insuffisants pour contenir les eaux chaudes dans les zones occidentales. Ces eaux se déplacent beaucoup plus à l'Est dans le Pacifique central. Les précipitations n'atteignent plus les régions occidentales du Pacifique ; la présence des eaux chaudes interdit les remontées d'eau froide, le long de l'Amérique du Sud, alors siège de précipitations.

En 1997, le phénomène El Niño a surpris par sa précocité et son ampleur. Il a engendré une sécheresse considérable sur l'Indonésie, qui explique en grande partie l'importance des incendies qui ont ravagé cette région.

LES MILIEUX DE VIE
L'ATMOSPHÈRE
LES EAUX
FLORE ET FAUNE
LES RISQUES
LES ÉVOLUTIONS

Les organismes marins

Le domaine marin est celui où est apparue la vie, il y a plus de 3,8 milliards d'années, avant qu'elle ne conquière les continents, il y a environ 400 millions d'années. Une grande diversité d'organismes, aux modes de vie variés, peuple les milieux marins, occupant toutes les zones jusqu'aux plus profondes.

Les organismes planctoniques

☐ Le plancton est l'ensemble des organismes flottant librement au gré des courants auxquels ils ne peuvent résister. Le phytoplancton, ou plancton végétal, est représenté par des algues chlorophylliennes microscopiques. Elles sont les producteurs primaires qui alimentent les chaînes alimentaires océaniques. Bien que la masse de phytoplancton soit faible, il constitue une source importante de nourriture car il se renouvelle rapidement. Le phytoplancton formé d'organismes chlorophylliens a besoin de lumière : il ne s'observe que dans les eaux superficielles, avec une abondance maximale entre 10 et 100 mètres de profondeur. D'autres facteurs, comme la teneur de l'eau en sels nutritifs ou la température, influent aussi sur l'abondance du phytoplancton, qui varie avec la latitude.

☐ Le zooplancton, ou plancton animal, comprend des animaux qui restent planctoniques à tous les stades de leur développement. Ceux-ci sont de taille variable, avec des organismes microscopiques comme les protozoaires (animaux unicellulaires) ou, beaucoup plus grands, les crustacés copépodes et les méduses. D'autres formes vivantes ne sont que temporairement planctoniques : c'est le cas des œufs ou des larves de nombreux animaux (mollusques, crustacés, échinodermes, poissons…) dont les adultes vivent sur le fond ou nagent activement. Les espèces du zooplancton se nourrissent soit du phytoplancton, qu'elles filtrent, soit d'autres espèces animales, capturées par filtration ou par prédation. Le zooplancton se rencontre à des profondeurs variables, car de nombreux organismes peuvent descendre et remonter sur plusieurs centaines de mètres.

Les organismes nectoniques

Ils sont capables de se déplacer activement. Ce sont les céphalopodes, certains crustacés, les mammifères marins, mais surtout les poissons. Certaines espèces se nourrissent de plancton ; d'autres sont prédatrices. Des poissons aux formes très particulières s'observent dans les zones profondes des plaines abyssales.

Les organismes benthiques

Le benthos comprend des organismes qui sont soit fixés au fond soit mobiles au voisinage immédiat du fond. Du fait de leurs exigences en lumière, les végétaux (algues, essentiellement) ne s'observent que sur des fonds de faible profondeur, à proximité des côtes. Les animaux benthiques appartiennent à des groupes très divers (coraux, mollusques bivalves, échinodermes…). Certains sont fouisseurs, vivant dans le sédiment. Le benthos est très abondant dans la zone littorale et sur le plateau continental. À grande profondeur, au niveau des dorsales, des peuplements très particuliers de vers, de bivalves et de crustacés s'observent parfois près de sources d'eaux chaudes sortant du plancher océanique.

Le plancton comprend de nombreux organismes unicellulaires végétaux et animaux. Ces organismes présentent souvent des adaptations favorisant la flottaison : leur cytoplasme contient des inclusions de lipides qui diminuent la densité. Des expansions du cytoplasme ou pseudopodes accroissent la surface portante.

■ Algues et animaux unicellulaires

Le phytoplancton est constitué par des nombreux types d'algues microscopiques, dont les principales sont les coccolithophoridés et les diatomées. Un coccolithophoridé apparaît comme une cellule flagellée, portant de nombreuses petites plaques calcaires. Les cellules de diatomées présentent une coque siliceuse avec deux valves emboîtées. Le zooplancton est formé par de nombreux protozoaires parmi lesquels les foraminifères. Ces cellules, microscopiques, ont un test calcaire laissant sortir de nombreuses expansions du cytoplasme ou pseudopodes. Les radiolaires sont d'autres protozoaires dont la cellule montre une coque grillagée siliceuse laissant passer de nombreux pseudopodes.

À la mort des individus, les parties calcaires ou siliceuses des cellules coulent lentement et participent à la formation de sédiments sur les fonds.

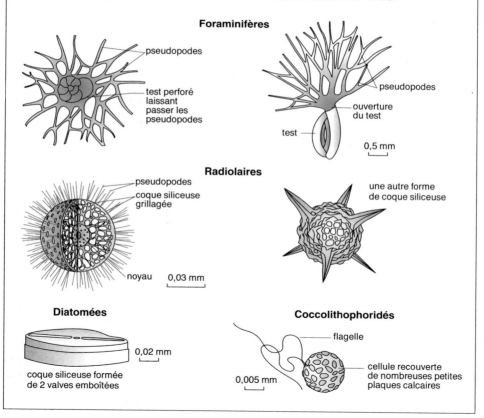

Foraminifères

pseudopodes

test perforé laissant passer les pseudopodes

pseudopodes

ouverture du test

test

0,5 mm

Radiolaires

pseudopodes
coque siliceuse grillagée

une autre forme de coque siliceuse

noyau   0,03 mm

Diatomées

0,02 mm

coque siliceuse formée de 2 valves emboîtées

Coccolithophoridés

flagelle

cellule recouverte de nombreuses petites plaques calcaires

0,005 mm

Les milieux littoraux

Les milieux littoraux constituent des zones de transition entre domaine marin et continent. Ces milieux, extrêmement divers, varient selon la morphologie des côtes, l'amplitude des marées et l'intensité des courants, qui soumettent les organismes à des conditions fluctuantes.

Les différents étages des zones littorales

☐ L'étage supralittoral fait la transition avec le milieu terrestre. Situé au-dessus du niveau des plus hautes mers, il n'est atteint que par les embruns.

☐ L'étage médiolittoral (ou zone intertidale) correspond à la zone de balancement des marées : les organismes sont soumis à des périodes d'émersion d'autant plus longues qu'ils sont situés plus haut.

☐ L'étage infralittoral est une zone qui n'est découverte que lors des grandes marées. Le passage à l'étage circalittoral, plus profond, est marqué par une diminution importante de l'éclairement et, par suite, des peuplements d'algues.

La vie sur les côtes rocheuses

Lorsque la côte est abritée des vagues (mode calme), les algues, abondantes, abritent une faune variée. Dans les zones battues par la houle (mode battu), les algues sont rares et seuls résistent des organismes fixés. Au bord d'une côte, les peuplements varient selon la verticale : les algues et les animaux se répartissent en niveaux déterminés par la résistance à l'émersion des organismes et par la capacité des algues à capter les radiations lumineuses.

Le peuplement des côtes rocheuses de la Manche

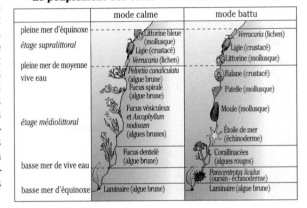

	mode calme	mode battu
pleine mer d'équinoxe / *étage supralittoral*	Littorine bleue (mollusque) / Ligie (crustacé) / Verrucaria (lichen)	Verrucaria (lichen) / Ligie (crustacé) / Littorine (mollusque)
pleine mer de moyenne vive eau	Pelvetia canaliculata (algue brune) / Fucus spiralé (algue brune)	Balane (crustacé) / Patelle (mollusque)
étage médiolittoral	Fucus vésiculeux et Ascophyllum nodosum (algues brunes)	Moule (mollusque) / Étoile de mer (échinoderme)
basse mer de vive eau	Fucus dentelé (algue brune)	Corallinacées (algues rouges) / Paracentrotus lividus (oursin - échinoderme)
basse mer d'équinoxe	Laminaire (algue brune)	Laminaire (algue brune)

La vie sur les côtes sableuses

Les algues, n'ayant plus de support, disparaissent. La vie animale est principalement représentée par des organismes fouisseurs (annélides, lamellibranches, crustacés). La transition avec le milieu aérien peut se faire par des dunes littorales, souvent peuplées par l'oyat, graminée qui participe à la fixation du sable.

La vie sur les côtes vaseuses

Les vasières sont occupées par de nombreux organismes fouisseurs. Les marais littoraux sont colonisés par une végétation supportant des concentrations élevées de sels (végétation halophile) et forment des zones de prés salés. En domaine intertropical, les mangroves correspondent à des zones de vases littorales riches en palétuviers.

18

■ L'origine des récifs

Les récifs coralliens sont des milieux très riches, abritant la faune la plus variée du monde. Ce sont des constructions biologiques liées à l'activité d'animaux appartenant à l'embranchement des Cnidaires (madréporaires, corail rouge, gorgones…). Ces organismes constructeurs sédentaires vivent en colonies et sécrètent un squelette calcaire, le polypier, qui constitue le récif.

■ Les exigences écologiques des organismes

Les récifs ne s'observent que dans les zones intertropicales, ce qui traduit leurs exigences en eaux relativement chaudes, jamais inférieures à 18 °C. Les cnidaires vivant en symbiose avec des algues chlorophylliennes, qui nécessitent de la lumière, les récifs ne se développent qu'à faible profondeur dans des eaux claires. Ils constituent des milieux sensibles aux pollutions.

■ Les différents types de récifs

Du fait de leurs exigences écologiques, les récifs ne s'établissent que sur des fonds de faible profondeur.
Ils peuvent former des récifs-barrières, construits sur des côtes plates et relativement éloignés du littoral. Ils apparaissent aussi en récifs frangeants, proches de la côte, bordant par exemple une île sur laquelle ils s'appuient. Les atolls correspondent à des anneaux coralliens établis autour d'une île volcanique aujourd'hui immergée.

■ Les différentes zones d'un récif

La plateforme récifale constitue la partie vivante de l'édifice.
Elle forme un talus abrupt tourné vers le large et dont le sommet affleure parfois. La zone d'arrière-récif correspond à une plateforme calme, formant un lagon. L'interruption de la barrière corallienne constitue une passe.

Les différentes zones d'un récif

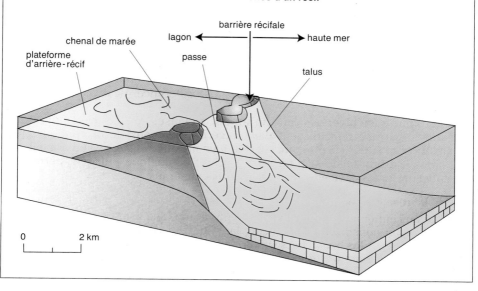

chenal de marée

plateforme d'arrière-récif

lagon ← barrière récifale → haute mer

passe

talus

0   2 km

Les milieux d'eau douce : les lacs

Les lacs et les étangs sont des milieux dans lesquels se développe une vie abondante. Ils constituent des domaines fragiles, aisément altérés par les milieux environnants.

Les différentes zones d'un lac

☐ La biologie des organismes peuplant les lacs (organismes lacustres) est principalement influencée par la lumière, la température et la concentration en oxygène des eaux.

☐ Les radiations lumineuses sont rapidement absorbées. Leur absorption est accrue lorsque les eaux sont troublées par des particules en suspension ; on parle alors d'eaux turbides. Les variations de la température de l'air provoquent des variations thermiques de l'eau, où elles se manifestent toutefois plus lentement et avec une plus faible amplitude si la masse d'eau est importante. La concentration en oxygène de l'eau est toujours faible, l'oxygène étant peu soluble. Elle est d'autant plus faible que l'eau est chaude.

☐ Selon la profondeur, il est possible de distinguer trois zones.

– La zone littorale est peu profonde ; la lumière pénètre facilement et permet le développement de végétaux fixés sur le fond.

– Lui succède une zone dépourvue de végétaux enracinés, mais suffisamment lumineuse pour le phytoplancton.

– En dessous se trouve une zone trop sombre pour permettre une photosynthèse efficace, plus froide et pauvre en oxygène.

La dynamique des eaux lacustres

☐ En été, dans les lacs tempérés suffisamment profonds, une stratification thermique des eaux peut s'établir, avec une couche superficielle, échauffée par le soleil et donc constituée d'eaux moins denses. Cette zone, brassée par le vent, riche en oxygène et bien éclairée, surmonte, sans se mélanger à elle, une couche au sein de laquelle la température décroît rapidement. Enfin, on atteint les eaux profondes, plus froides et donc plus denses. Ces différences de densité interdisent les mélanges.

☐ En automne et en hiver, les eaux de surface soumises aux basses températures de l'atmosphère se refroidissent davantage que les eaux de profondeur ; leur densité devient supérieure, ce qui conduit à un mélange des eaux superficielles et profondes. Ce brassage est d'un grand intérêt écologique puisqu'il permet de réhomogénéiser les eaux en oxygène et en ions minéraux.

Le réseau trophique d'un lac

Les végétaux enracinés autour du lac et le phytoplancton sont les producteurs primaires. Ils sont consommés par le zooplancton (protozoaires, crustacés comme les daphnies…) et les herbivores (mollusques : limnées, planorbes…). Les carnivores appartiennent à des groupes très divers et vivent, pour beaucoup, dans le milieu aérien (martin-pêcheur, couleuvre, rat musqué…).

■ Les plantes aquatiques

Les angiospermes, adaptées aux milieux aquatiques (encore appelés hydrophytes) sont de différents types : il peut s'agir de plantes amphibies (1), enracinées sur les bords du lac et dont l'appareil végétatif est en partie aqua- tique et en partie aérien. D'autres végé- taux fixés sur le fond peuvent présenter soit des feuilles flottantes (2) soit des feuilles immergées (3). Enfin, certains sont des plantes flottantes (4), à l'image des lentilles d'eau qui recouvrent parfois les surfaces aquatiques immobiles.

■ Les ceintures de végétation

Ces végétaux dessinent différentes zones concentriques, appelées ceintures de végétation, avec, de la rive vers le centre :

– une zone à roseaux et massettes ; cette roselière protège les rives et est un lieu de nidification pour de nombreux oiseaux et de frai pour certains poissons ;

– une zone à joncs et carex, végétaux dont les souches fibreuses assurent le maintien des rives ;

– une zone à nénuphars, myriophylles et élodées, qui sont des végétaux enra- cinés sur le fond avec des feuilles flot- tantes ou submergées :

– une zone à potamots (potamot, céra- tophylle), plantes complètement immer- gées ;

– une zone à characées, végétaux proches des algues qui tapissent le fond.

Les angiospermes des milieux d'eau douce

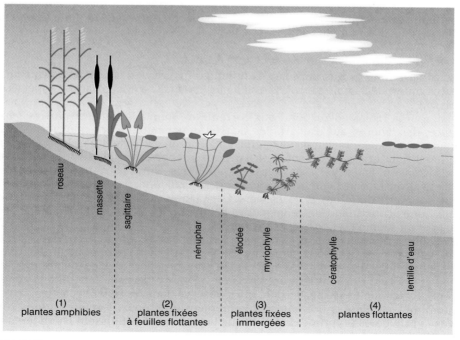

LES MILIEUX DE VIE
L'ATMOSPHÈRE
LES EAUX
FLORE ET FAUNE
LES RISQUES
LES ÉVOLUTIONS

Les milieux d'eau douce : les fleuves et les rivières

De l'amont vers l'aval, un fleuve ou une rivière montre des caractères très changeants (vitesse du courant, profondeur...) qui peuvent déterminer des peuplements différents.

Les facteurs écologiques d'un cours d'eau

☐ Les principaux facteurs qui interviennent sur les peuplements sont la vitesse du courant, la nature du fond, la température, la concentration en oxygène et la composition chimique des eaux. La vitesse du courant dépend de la pente du cours d'eau, généralement plus importante dans les parties amont. Le courant a un effet direct sur les organismes : lorsqu'il excède 0,5 mètre par seconde, les animaux ne peuvent se maintenir, à l'exception de certains d'entre eux : les larves d'insectes peuvent se fixer aux rochers, certains poissons peuvent nager face au courant.

☐ Par ailleurs, le courant modèle le tracé des berges, ce qui influe sur les peuplements ; ainsi, la rive convexe d'un méandre est un lieu de dépôt de sédiments, la rive concave, un lieu d'érosion. La vitesse du courant influe également sur la nature du fond de la rivière : les fonds rocheux prédominent dans les parties amont alors que les fonds sableux, plus favorables à l'installation des végétaux, apparaissent dans les parties aval, lorsque le courant ralentit.

☐ La température peut varier considérablement de la source au confluent ou à l'estuaire, en relation avec l'altitude et la saison. En outre, elle modifie l'oxygénation de l'eau, d'autant plus importante que celle-ci est froide.

Les différentes zones d'un cours d'eau

☐ Les variations de ces paramètres le long d'un cours d'eau déterminent différentes zones, de l'amont vers l'aval, chacune étant caractérisée par des espèces de poisson.

☐ La zone à truite correspond aux torrents de montagne et aux parties supérieures des rivières, aux eaux froides, agitées et, par suite, riches en oxygène. Le lit est caillouteux, dépourvu de végétaux. Le plancton est absent. Sur le fond vivent de nombreux organismes, souvent fixés aux rochers. Il s'agit surtout de larves d'insectes (éphémères...), sensibles aux pollutions. Outre la truite, on trouve chabot et vairon. La zone à ombre se situe plus en aval, lorsque le lit s'élargit et que le fond se couvre de sables et de graviers. Des plantes immergées apparaissent. Ces deux zones constituent des zones dites salmonicoles (salmonidés : famille de la truite et du saumon) et correspondent aux rivières de 1re catégorie des pêcheurs.

☐ La zone à barbeau s'observe dans les cours d'eau de plaine, à courant lent. Le fond est sableux ou vaseux, alors que les végétaux se développent sur les rives. Ces eaux sont peuplées par des espèces (perche, brochet...) exigeant moins d'oxygène et tolérant des températures plus élevées. À cette zone fait suite la zone à brème, avec tanche, carpe, gardon, qui s'observe dans les rivières calmes, larges, à nombreuses plantes flottantes et immergées. Ces deux dernières zones sont dites cyprinicoles (cyprinidés : famille de la perche) et définissent les rivières de 2e catégorie.

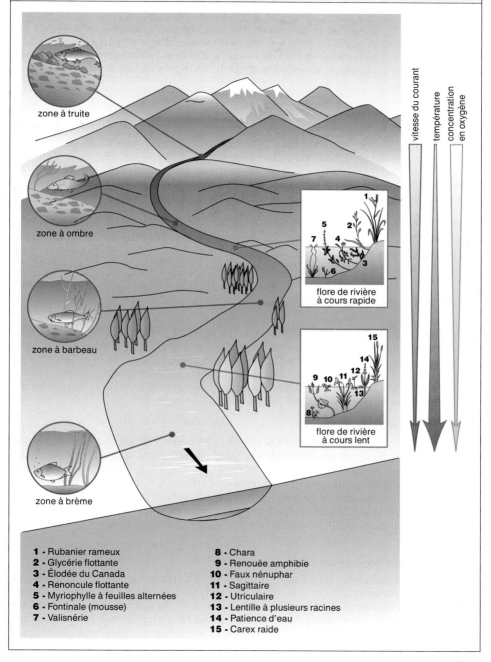

FAUNE ET FLORE
DES FLEUVES ET DES RIVIÈRES

zone à truite

zone à ombre

zone à barbeau

zone à brème

flore de rivière
à cours rapide

flore de rivière
à cours lent

vitesse du courant

température

concentration
en oxygène

1 - Rubanier rameux
2 - Glycérie flottante
3 - Élodée du Canada
4 - Renoncule flottante
5 - Myriophylle à feuilles alternées
6 - Fontinale (mousse)
7 - Valisnérie

8 - Chara
9 - Renouée amphibie
10 - Faux nénuphar
11 - Sagittaire
12 - Utriculaire
13 - Lentille à plusieurs racines
14 - Patience d'eau
15 - Carex raide

23

| LES MILIEUX DE VIE |
| L'ATMOSPHÈRE |
| LES EAUX |
| FLORE ET FAUNE |
| LES RISQUES |
| LES ÉVOLUTIONS |

Les milieux forestiers

> Les forêts occupent de très vastes surfaces à l'échelle du globe, même si le défrichement conduit par l'homme en a réduit la superficie. Bien que très différentes d'une région à l'autre, elles apparaissent toujours comme des écosystèmes abritant des peuplements diversifiés, dans de multiples niches écologiques.

Les forêts équatoriales

Situées dans la zone intertropicale (Amazonie, Afrique, Asie du Sud-Est), elles représentent environ le tiers de la forêt mondiale. Elles se développent dans une zone climatique très humide (plus de 1,5 m d'eau par an) et de température pratiquement constante. Il n'y a généralement pas de cycles saisonniers, ce qui se traduit par une absence de cernes au niveau du bois et des feuilles persistantes, d'où le nom de forêts sempervirentes (c'est-à-dire toujours vertes). Les espèces d'arbres sont très nombreuses : plus de 2 500 ont été recensées en Malaisie. Ces arbres sont les supports de lianes et de nombreuses plantes alors appelées épiphytes (fougères, orchidées…). Du fait de l'abondance des ressources et de la diversité des habitats, la faune est variée, avec de nombreux mammifères et reptiles arboricoles.

Les forêts méditerranéennes

Elles s'observent sur le pourtour méditerranéen, mais aussi en Californie, au Chili et au sud de l'Australie. D'un continent à l'autre, elles présentent de grandes différences floristiques, mais elles montrent souvent des arbres à feuilles plus ou moins coriaces et persistantes, adaptés à la sécheresse. Les espèces les plus fréquentes sont le chêne vert et le chêne-liège, associés à divers pins (d'Alep, parasol ou pignon). Sous les chênes pousse un ensemble varié d'arbustes. Maquis et garrigues sont des formes dégradées de la forêt.

Les forêts tempérées

Les forêts à feuilles caduques, dont les feuilles se renouvellent chaque année, sont développées en Europe, en Amérique du Nord (Appalaches) et en Chine orientale. Les principales essences des forêts européennes sont le hêtre, le chêne et le charme. Le sous-bois comprend de nombreux arbustes (sureau, cornouiller…) et des lianes (clématite, chèvrefeuille…). À ces feuillus sont associés des conifères.
La bordure Ouest de l'Amérique du Nord présente une forêt de conifères tout à fait remarquable par la taille de ses arbres. C'est le domaine des séquoias géants, observés dans les grands parcs américains.

La forêt boréale ou taïga

Elle couvre un ensemble très vaste (un tiers de la surface forestière mondiale) qui s'étire d'un continent à l'autre, bordant, au sud, le domaine de la toundra. Elle est constituée exclusivement de conifères (épicéas, pins, sapins et mélèzes). La faune, pauvre en espèces, présente des animaux adaptés au froid : nombreux mammifères à fourrure, herbivores ou carnivores (élan, orignal, ours, renard argenté, lynx…). Des insectes, très abondants, exploitent les arbres.

■ La stratification verticale de la forêt

La forêt apparaît comme un milieu très organisé en strates superposées, ce qui assure une utilisation importante de la lumière et permet une meilleure occupation de l'espace, avec une diversification accrue des niches écologiques.

On distingue ainsi la strate arborescente, dont le développement conditionne la disponibilité en lumière du sous-bois. Dans nos régions, cette strate correspond, selon les forêts, à une ou deux essences : hêtre et chêne, sapin et hêtre, épicéa seul. La strate arbustive est composée de jeunes arbres et d'arbustes. La strate herbacée correspond aux plantes à fleurs non ligneuses et aux fougères. La strate muscinale se développe à même le sol, avec les mousses, les champignons et des lichens.

Les différentes strates verticales de la forêt

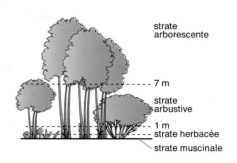

■ Les exigences de quelques essences forestières

Les axes représentent les paramètres retenus, croissants dans la direction de chaque flèche. Les positions relatives des arbres expriment leurs préférences.

Les exigences de quelques essences forestières

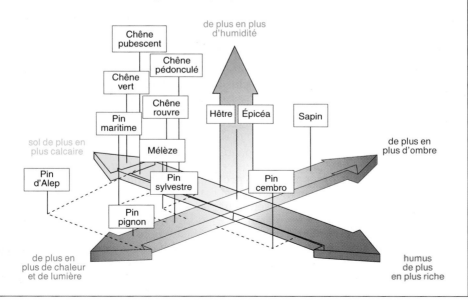

Déserts et montagnes

Certains milieux terrestres paraissent peu propices à la vie. C'est le cas des déserts, chauds ou froids, dont les températures sont extrêmes et où fait défaut l'eau liquide, et des montagnes, où les facteurs écologiques sont modifiés avec l'altitude. De nombreux organismes ont pourtant colonisé ces milieux.

Les déserts chauds

Ils sont caractérisés par la rareté et l'irrégularité des précipitations, les températures diurnes très élevées et des écarts thermiques journaliers considérables. Le Sahara, avec 8 millions de km^2 (soit 15 fois la France) est le plus vaste des déserts, mais des environnements arides s'observent sur tous les continents (bordure Ouest de l'Amérique, désert de Gobi en Asie…).

La végétation se concentre autour des cours d'eau temporaires (oueds du Sahara) ou des oasis. Certaines espèces sont des plantes annuelles à cycles de développement très courts, s'effectuant uniquement lorsque l'eau est présente. D'autres sont des plantes vivaces adaptées à la sécheresse (végétaux xérophytes) par réduction des pertes d'eau (feuilles réduites…) ou par accumulation de réserves d'eau (plantes grasses de type cactées). Les animaux luttent contre la déshydratation en réduisant leurs pertes d'eau. Certains, comme le rat-kangourou, évitent, dans un abri souterrain, les heures chaudes de la journée et adoptent une vie nocturne.

Les déserts froids

Les milieux polaires, arctiques ou antarctiques, sont inhospitaliers du fait de leurs basses températures (jusqu'à – 90 °C en Antarctique) et de la sécheresse de l'air. Vaste continent de près de 13 millions de km^2, l'Antarctique est recouvert d'une épaisse calotte glaciaire et forme un inlandsis. Le gel des eaux arctiques autour du Groenland provoque la formation de la banquise. Les faunes peuplant les deux milieux sont différentes (ex. : les manchots dans l'hémisphère Sud, l'ours blanc dans l'hémisphère Nord…). Mais tous les animaux, même s'ils se reproduisent et vivent en partie à terre, exploitent les ressources du milieu marin et appartiennent ainsi à des écosystèmes aquatiques établis à partir du phytoplancton.

Les milieux de montagnes

☐ L'augmentation d'altitude s'accompagne, d'une part, d'un abaissement de température (environ 0,7 °C par 100 mètres en moyenne) et, d'autre part, d'une diminution de la pression atmosphérique, provoquant une diminution de la pression d'oxygène (entre 0 et 5 000 mètres, celle-ci est divisée par 2). Cette raréfaction de l'oxygène est particulièrement ressentie par les animaux à température constante (ou homéothermes) comme les mammifères, dont l'homme. La diminution de l'air accroît également l'intensité du rayonnement solaire reçu.

☐ Les précipitations sont abondantes, souvent sous forme de neige qui protège le sol d'un refroidissement trop important. Malgré cela, les plantes de montagne sont parfois adaptées à la sécheresse, le vent et l'ensoleillement provoquant des pertes d'eau par transpiration que ne compense pas l'absorption, inhibée par le froid.

26

Dans les Alpes, les différentes espèces se distribuent selon l'altitude, en cinq étages dont les limites varient avec l'exposition. Ces limites sont plus élevées sur les versants plus ensoleillés orientés au sud et au sud-ouest, les adrets, et plus basses sur les versants moins ensoleillés exposés au nord et au nord-est, les ubacs. Toute chaîne de montagnes montre des étagements de la végétation, mais la composition des associations végétales, les limites d'altitude et l'impact de l'exposition varient avec la localisation géographique du massif montagneux. La limite des neiges éternelles se situe ainsi à une altitude d'environ 5 000 mètres dans les Andes péruviennes ou en Himalaya.

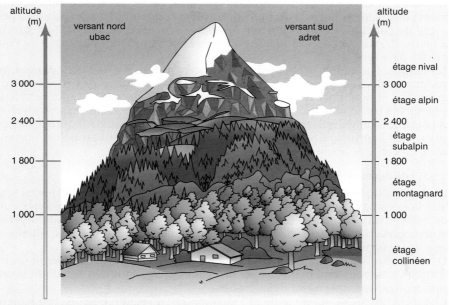

Étage collinéen (jusqu'à 1 000 m)
Température moyenne de 15 °C, 9 mois de végétation active. Zone de cultures et de forêts de feuillus.

Étage montagnard (1 000-1 800 m)
Température moyenne comprise entre 8 et 15 °C, 7 mois de végétation active. Domaine des alpages et des pâturages, avec des forêts de hêtres, supportant la forte humidité, de sapins et d'épicéas.

Étage subalpin (1 800-2 400 m)
Température moyenne de 8 °C, 5 mois de végétation active. Forêts de conifères, remplaçant les feuillus : épicéas, pins à crochets, mélèzes, pins cembro ; arbustes : rhododendrons, genévriers nains... Formations rases ou pelouses dans les zones surpâturées.

Étage alpin (2 400-3 000 m)
Température moyenne d'environ 3 °C, moins de 3 mois de végétation active. Rares arbres nains et pelouses alpines à gentianes, edelweiss ou arnicas.

Étage nival (au-dessus de 3 000 m)
Domaine des neiges éternelles et des rochers. Maigre végétation basse avec mousses et lichens.

LES MILIEUX DE VIE
L'ATMOSPHÈRE
LES EAUX
FLORE ET FAUNE
LES RISQUES
LES ÉVOLUTIONS

Des milieux modifiés par l'homme

> **L'homme gère aujourd'hui de nombreux écosystèmes forestiers. Il a créé les écosystèmes agraires ou agrosystèmes. Par ailleurs, le développement des villes a généré de nouveaux milieux.**

Des forêts cultivées

☐ La forêt tempérée européenne ne constitue plus, sauf exception, un milieu entièrement naturel, mais porte la marque du travail de l'homme. La sylviculture a pour objectif de concilier exploitation des ressources forestières, survie à long terme des peuplements et conservation des qualités écologiques des milieux et de l'intégrité des paysages.

☐ En France, l'abandon progressif des espaces ruraux par les agriculteurs, qui constitue la déprise agricole, conduit souvent à l'extension des friches et des broussailles et peut s'accompagner de reboisements. Ceux-ci correspondent à des peuplements très contrôlés et se font actuellement dans de nombreuses zones.

☐ À l'échelle mondiale, il importe de conserver de grandes forêts naturelles ou primaires, dont la principale richesse est, à l'image des forêts équatoriales, l'extraordinaire diversité biologique.

Les agrosystèmes

☐ Les agrosystèmes sont des écosystèmes artificiels, constitués d'espèces végétales choisies par l'homme, qui détermine ainsi leur répartition. Ces zones cultivées, comme un champ de blé ou de maïs, représentent des peuplements végétaux peu diversifiés : ceux-ci sont en effet constitués d'individus d'une même espèce, de même âge et formant dans l'espace une seule strate.

☐ Les végétaux ont généralement fait l'objet d'une sélection, ce qui accroît parfois la fragilité des peuplements, tous les individus présentant des sensibilités analogues à un quelconque agent défavorable.

☐ La protection des peuplements et l'augmentation recherchée des rendements nécessitent souvent des traitements agronomiques divers. À chaque récolte, la masse végétale produite est prélevée, en partie ou en totalité, et est retirée de l'agrosystème. Ces récoltes épuisent le sol et doivent être compensées par des apports d'éléments fertilisants (engrais…). Le fonctionnement énergétique des agrosystèmes repose donc non seulement sur l'énergie solaire, qui permet la croissance des végétaux, mais aussi sur le travail des hommes.

☐ Les prairies constituent des écosystèmes artificiels gagnés sur la forêt et dans lesquels prédominent des graminées fourragères. Une évolution naturelle s'accompagnerait du rétablissement de la forêt.

Les milieux urbains

Un milieu urbain apparaît comme une mosaïque de zones juxtaposées : zones d'habitations, plus ou moins ouvertes et aérées ; parcs et espaces verts ; voies de communication ; zones industrielles.

■ Les modifications liées à un milieu urbain

Dans les milieux urbains, l'environne-ment peut être modifié par différents facteurs : les zones construites et gou-dronnées représentent des surfaces imperméables où l'eau ne peut s'infil-trer. Le chauffage, les industries et les gaz d'échappement sont à l'origine de dégagements importants de fumées et de vapeurs. Les activités humaines pro-duisent des quantités importantes de déchets à éliminer.

La comparaison avec un milieu naturel voisin montre que la présence d'une ville peut modifier localement de nom-breux paramètres climatiques et écolo-giques. Les chiffres du tableau ci-des-sous indiquent les variations observées en ville en comparaison avec un milieu naturel voisin.

■ L'effet urbain

Un réchauffement est sensible dans la partie centrale des agglomérations. Celle-ci constitue un îlot de chaleur dû aux rejets de dioxyde de carbone des chauffages, des automobiles et des industries.

L'effet urbain

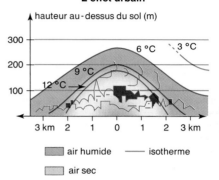

▬ air humide	▬▬ isotherme	
▬ air sec		

Variations entre un milieu urbain et la campagne environnante

Température	températures annuelles	de + 0,5 à + 1 °C
	température minimale hivernale	de + 1 à + 3 °C
	durée de la période de gel	– 25 %
	jours de gel et de glace	– 45 %
Bilan hydrique	précipitations annuelles	de + 5 à + 10 %
	rosée	– 65 %
	neige	de – 5 à – 10 %
	évaporation annuelle	de – 30 à – 60 %
	humidité relative de l'air	– 6 %
	brouillard (dû aux aérosols)	
	— en hiver	+ 100 %
	— en été	de + 20 à + 30 %
Rayonnement	rayonnement global	– 20 %
	rayonnement UV	
	— en hiver	de – 70 à – 100 %
	— en été	de – 10 à – 30 %
	couverture nuageuse	de + 5 à + 10 %
Vent	vitesse	de – 20 à – 30 %
Période de végétation	longueur	de + 8 à + 10 jours

LES MILIEUX DE VIE
L'ATMOSPHÈRE
LES EAUX
FLORE ET FAUNE
LES RISQUES
LES ÉVOLUTIONS

Le bouclier atmosphérique

L'atmosphère qui entoure la Terre joue un rôle essentiel dans l'énergie que reçoit celle-ci, en réfléchissant ou en absorbant différents rayonnements. Certaines couches de l'atmosphère ont eu des effets déterminants dans l'évolution de la biosphère et conservent un rôle protecteur pour la vie.

▬▬ Atmosphère et rayonnement solaire

☐ La Terre reçoit du soleil un flux d'énergie, dont la valeur mesurée par satellite au-delà de l'atmosphère est la constante solaire, égale à environ 1 400 watts par mètre carré. La quantité d'énergie mesurée au sol (ou quantité d'énergie incidente) est inférieure d'un tiers : l'atmosphère réfléchit vers l'espace une partie du rayonnement incident et en absorbe une autre part.

☐ À la réflexion de l'atmosphère et de ses nuages s'ajoute celle de la surface de la Terre elle-même, qui dépend de la nature du sol (les surfaces claires réfléchissent davantage que les surfaces sombres) et de l'angle d'incidence. On appelle albedo le rapport de l'énergie réfléchie à l'énergie incidente.

☐ En tenant compte de l'alternance jour-nuit et de l'inclinaison de la Terre sur son orbite, on calcule que l'énergie solaire moyenne finalement absorbée par la surface, et qui réchauffe océans et continents, est de l'ordre de 200 watts par mètre carré.

☐ L'atmosphère joue un rôle protecteur, en absorbant certains ultraviolets (les UVB) dangereux pour la biosphère. Cette absorption est réalisée par la couche d'ozone (O_3) stratosphérique, dont la concentration maximale se situe entre 30 et 40 km d'altitude.

▬▬ Atmosphère et rayonnement terrestre

☐ Un simple séjour en montagne suffit pour constater que la température diminue avec l'altitude. L'atmosphère est donc réchauffée par le bas. Cela est dû au fait que la surface terrestre, échauffée par l'énergie solaire absorbée, réémet vers l'atmosphère un rayonnement infrarouge thermique. En domaine océanique, une partie de l'énergie incidente permet aussi l'évaporation de l'eau.

☐ Du fait de leurs longueurs d'ondes, ces rayons infrarouges réémis ne peuvent librement traverser l'atmosphère et sont absorbés par certaines molécules (vapeur d'eau, dioxyde de carbone, méthane…). L'énergie captée par l'atmosphère est diffusée en partie vers l'espace, où elle est perdue par la Terre, mais une partie revient vers la surface dont elle contribue à accroître la température. Le bilan énergétique du système Terre-atmosphère est nul ; il détermine, dans les conditions actuelles, une température moyenne de surface de la Terre légèrement supérieure à 14 °C.

☐ Cet effet atmosphérique, qui retient l'énergie perdue par la Terre, est appelé effet de serre, par analogie avec ce qui se passe dans une serre, dont les parois vitrées retiennent le rayonnement infrarouge émis par le sol.

☐ L'effet de serre a toujours existé sur Terre, avec des conséquences essentielles : des calculs montrent que, sans celui-ci, la température moyenne de la surface s'établirait vers – 18 °C ! Il explique donc que, sur Terre, l'eau soit à l'état liquide, ce qui a permis, en particulier, le développement de la vie.

LES DIFFÉRENTES COUCHES DE L'ATMOSPHÈRE

L'atmosphère est structurée en diffé-rentes couches qui sont, selon des alti-tudes croissantes, la troposphère, la stratosphère, la mésosphère, la thermo-sphère et l'ionosphère.

■ La troposphère

La troposphère est le siège des phéno-mènes météorologiques. Son épaisseur varie de 7 km, au-dessus des pôles, à 18 km, au-dessus des régions équato-riales. La pression atmosphérique dimi-nue avec l'altitude du fait de la raréfac-tion de l'air : les 4/5 de la masse de l'atmosphère se concentrent dans la troposphère. La température diminue d'environ 6,5 °C par kilomètre.

■ La stratosphère

La stratosphère, qui s'élève jusqu'à 50 km, contient la couche d'ozone pro-tectrice. Celle-ci absorbe certains ultra-violets du rayonnement solaire, ce qui explique la remontée de température dans la partie supérieure de la strato-sphère. Cette zone est aussi le lieu de vents très violents (jusqu'à 350 km/h).

■ La mésosphère

La mésosphère, épaisse de 35 km, constitue le bouclier qui arrête l'essen-tiel des météorites. La température y descend jusqu'à − 120 °C.

■ La thermosphère et l'ionosphère

Au-delà se trouve la thermosphère, marquée par une augmentation de tem-pérature (jusqu'à + 1 200 °C). Dans ses parties les plus externes, le rayonne-ment solaire provoque la dissociation des molécules, qui libèrent des atomes et des particules chargées électrique-ment : les ions. Cette zone est l'iono-sphère, couche où se réfléchissent en particulier les ondes radio. Au-delà de 700 km, l'air disparaît.

L'atmosphère

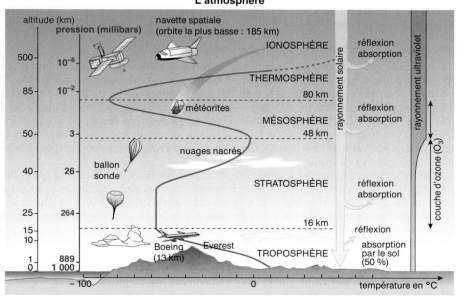

LES MILIEUX DE VIE
L'ATMOSPHÈRE
LES EAUX
FLORE ET FAUNE
LES RISQUES
LES ÉVOLUTIONS

L'air atmosphérique

L'atmosphère qui entoure la Terre a une composition originale, caractérisée par sa richesse en oxygène, qui a permis le développement de la vie. L'air est un mélange gazeux qui renferme de multiples constituants dont les concentrations peuvent présenter des évolutions à différentes échelles de temps.

La composition de l'air atmosphérique

L'air atmosphérique est un mélange de gaz dont les principaux sont l'azote (N_2, environ 78 %) et l'oxygène (O_2, environ 21 %), le reste étant représenté par le dioxyde de carbone (CO_2, 0,035 %), des gaz rares (argon, krypton...), des composés organiques (méthane, CH_4 ; propane, C_3H_8). Dans la troposphère se trouve également de l'eau (H_2O), sous forme de vapeur, en proportion variable (de 0 à 4 % du volume de l'air). À ces constituants s'ajoutent de nombreux autres gaz comme le monoxyde de carbone (CO), les dérivés soufrés ou nitrés (oxydes d'azote, NO, NO_2...). Enfin, l'air peut renfermer des particules en suspension de natures diverses.

La composition de l'air atmosphérique

Azote	N_2	78,084 ± 0,004 %
Oxygène	O_2	20,946 ± 0,002 %
Argon	Ar	0,934 ± 0,001 %
Dioxyde de carbone	CO_2	0,035 ± 0,001 %
Néon	Ne	18,18 ± 0,04 ppm [1]
Hélium	He	5,24 ± 0,004 ppm
Krypton	Kr	1,14 ± 0,01 ppm
Xénon	Xe	0,087 ± 0,001 ppm
Hydrogène	H_2	0,5 ppm
Méthane	CH_4	2,0 ppm
Propane	C_3H_8	2,0 ppm
Oxydes d'azote	N_2O	0,5 ± 0,01 ppm
Ozone	O_3	0,04 ppm
Eau	H_2O	5 300 ppm

(1) ppm : partie par million en volume (un ppm : 0,0001 %)

L'évolution récente et actuelle de l'atmosphère

☐ Les mesures effectuées par des stations situées dans l'hémisphère Nord (par exemple, à Mauna Loa à Hawaii) ou dans l'hémisphère Sud (par exemple, dans l'île Amsterdam dans l'océan Indien) montrent une augmentation de la concentration de l'atmosphère en dioxyde de carbone dont la valeur moyenne est passée de 0,0315 % à 0,0355 % entre 1958 et 1990. Dans l'hémisphère Nord, on observe des variations saisonnières, liées à l'activité plus ou moins grande de la végétation et aux activités humaines (chauffage). Ces variations n'apparaissent pas dans l'hémisphère Sud, plus océanique.

☐ Cet accroissement est particulièrement marqué depuis le début de l'ère industrielle (1850) comme le révèle l'analyse des carottes de glace. Celles-ci sont prélevées par forage, généralement dans la calotte antarctique. Dans la glace sont incluses des bulles d'air, dont la composition est celle de l'atmosphère qui existait au moment de la formation de la glace. L'évolution de la concentration atmosphérique peut être reconstituée à partir des différents niveaux d'une carotte de glace. La calotte antarctique archive, du fait de son épaisseur, les enregistrements les plus anciens contenus dans les glaces. Des forages récents à la base russe de Vostok livrent ainsi des informations sur les 400 000 dernières années.

■ L'atmosphère primitive

La composition de l'atmosphère primitive peut être appréhendée par l'analyse des gaz contenus dans les météorites ou des gaz volcaniques issus du manteau et, surtout, par l'inventaire des corps volatils de la Terre actuelle, quel que soit leur état présent ; ces composés volatils sont l'eau, actuellement sous forme liquide, le dioxyde de carbone, actuellement en majorité sous forme de calcaire, et l'azote, encore gazeux.

L'atmosphère primitive comprenait principalement de la vapeur d'eau (de 80 à 90 %), du dioxyde de carbone (de 10 à 20 %), de l'azote (de 1 à 2 %). Il n'y avait pas d'oxygène.

La distance au Soleil a permis à l'atmosphère d'avoir une température suffisamment basse, et l'eau est très vite passée à l'état liquide. Cette eau a dissous la majorité du dioxyde de carbone, qui a ensuite précipité, donnant des calcaires grâce aux ions calcium libérés par l'altération des roches. Cette précipitation a entraîné une diminution rapide du dioxyde de carbone, dont plus de 99 % ont été piégés dès il y a 3 milliards d'années.

■ L'évolution de l'oxygène

L'origine de l'oxygène est la photosynthèse, qui est apparue il y a environ 3,8 milliards d'années. Mais jusqu'à moins 2,5 milliards d'années, l'oxygène a été piégé sous forme d'oxydes divers dans les sédiments, au fur et à mesure de sa formation.

Par la suite, la plus grande partie des éléments oxydables présents en surface étant déjà oxydée, l'oxygène formé par photosynthèse s'est accumulé progressivement dans l'atmosphère. Cette accumulation a été très lente : des mesures conduites sur des roches sédimentaires d'âges différents suggèrent qu'une teneur de 1 % aurait été atteinte vers −1 milliard d'années, de 10 % vers −450-400 millions d'années. La teneur actuelle s'observerait depuis −300-250 millions d'années, estimation qui présente une grande incertitude.

Quand la teneur en oxygène a atteint un certain niveau, probablement vers −400 millions d'années, a pu apparaître le trioxygène ou ozone, qui arrête les rayons ultraviolets solaires.

Avant cette date, la vie était essentiellement aquatique. Ce n'est qu'après l'apparition de l'ozone dans la haute atmosphère que la vie végétale, puis animale, a pu coloniser la terre ferme.

■ L'évolution des différents gaz de l'atmosphère au cours du temps

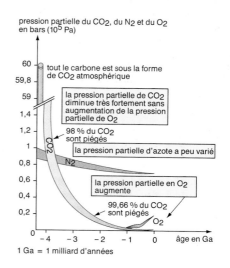

pression partielle du CO_2, du N_2 et du O_2 en bars (10^5 Pa)

- tout le carbone est sous la forme de CO_2 atmosphérique
- la pression partielle de CO_2 diminue très fortement sans augmentation de la pression partielle de O_2
- 98 % du CO_2 sont piégés
- la pression partielle d'azote a peu varié
- la pression partielle en O_2 augmente
- 99,66 % du CO_2 sont piégés

1 Ga = 1 milliard d'années

La pression du dioxyde de carbone diminue fortement alors que l'oxygène apparaît tardivement et que la pression de l'azote a peu varié.

LES MILIEUX DE VIE
L'ATMOSPHÈRE
LES EAUX
FLORE ET FAUNE
LES RISQUES
LES ÉVOLUTIONS

La circulation atmosphérique

Le bulletin météorologique quotidien décrit une situation toujours changeante, avec des zones d'anticyclones et de dépressions entre lesquelles circulent les vents.

▬▬▬ L'origine des mouvements atmosphériques

☐ La Terre reçoit de l'énergie provenant du Soleil. Une partie de l'énergie qui chauffe la surface terrestre est réémise et perdue dans l'atmosphère. À l'équateur, le rayonnement solaire arrive à la verticale et l'énergie reçue par mètre carré est maximale. De part et d'autre des zones équatoriales et jusqu'aux pôles, l'énergie reçue pour une même surface diminue, les rayons solaires étant de plus en plus inclinés sur la surface. Jusqu'aux quarantièmes parallèles, Nord et Sud, l'énergie reçue est plus importante que le rayonnement réémis : le bilan est excédentaire. Au-delà, le bilan devient déficitaire.

☐ Ces déséquilibres à l'échelle du globe donnent lieu à des transferts d'énergie à l'origine de mouvements atmosphériques (à l'image de la circulation de l'air qui peut s'établir dans une chambre inégalement chauffée).

☐ La circulation des masses d'air dépend également des saisons, de la répartition des continents et des océans, dont les propriétés thermiques sont très différentes, et de la rotation de la Terre à l'origine de la force de Coriolis qui dévie l'air en mouvement vers la droite dans l'hémisphère Nord, vers la gauche dans l'hémisphère Sud.

▬▬▬ Les vents dominants

☐ Dans chaque hémisphère, on observe trois systèmes de vents dominants liés à l'existence de cellules de convection qui sont des zones de circulation en boucle, associant une zone où l'air monte à une zone où il descend. Les zones d'ascendance correspondent à des basses pressions et sont situées à l'équateur et aux latitudes 60°. L'air descendant génère des zones de hautes pressions aux tropiques et aux pôles. Au niveau du sol, ces différences de pression donnent naissance à des vents, allant des hautes vers les basses pressions, et déviés par la force de Coriolis.

☐ Ainsi s'établit une circulation générale avec, dans les zones intertropicales, les alizés, vents lents, freinés par le frottement sur la surface terrestre et soufflant régulièrement vers l'ouest. Aux latitudes moyennes soufflent les vents d'ouest, qui apportent pluies et neiges. Ceux-ci sont plus réguliers dans l'hémisphère Sud que dans l'hémisphère Nord, où leur circulation peut être affectée par de nombreux facteurs comme la présence de reliefs. Dans les hautes latitudes s'établissent des vents polaires, d'est, froids et secs.

La circulation générale de l'atmosphère

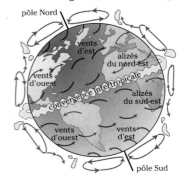

pôle Nord
vents d'est
alizés du nord-est
vents d'ouest
convergence intertropicale
alizés du sud-est
vents d'ouest
vents d'est
pôle Sud

VENTS ET PRESSIONS

■ Hautes et basses pressions

La circulation du vent entre deux masses d'air est régie par les différences de pression, le vent s'écoulant toujours des hautes pressions vers les basses pressions.

Hautes et basses pressions

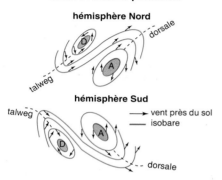

hémisphère Nord

dorsale

talweg

hémisphère Sud

talweg

→ vent près du sol
— isobare

dorsale

La pression atmosphérique moyenne, au niveau de la mer, est de 1 013 hPa. Les anticyclones correspondent à des zones fermées de haute pression (jusqu'à 1 050 hPa). À l'inverse, les dépressions sont des zones fermées de basses pressions. Une dorsale et un talweg correspondent, respectivement, à des zones non fermées de hautes et de basses pressions. Dans l'hémisphère Nord, l'air tend à s'éloigner des zones anticycloniques en tournant autour de celles-ci dans le sens des aiguilles d'une montre. Il se rapproche des dépressions en tournant dans le sens inverse. Les deux rotations sont à l'opposé dans l'hémisphère Sud.

■ Effets des continents et des océans

Continents et océans ont des propriétés thermiques très différentes. La terre peut se réchauffer et se refroidir très vite, alors que la mer est sujette à des variations beaucoup plus lentes. Cette différence de comportement explique des phénomènes très locaux comme les brises de terre et de mer.

Le jour, le continent se réchauffe vite, ce qui augmente la température de l'air. L'air chaud, moins dense, tend à s'élever. Il est remplacé par de l'air plus frais, venant de la mer, ce qui génère une brise de mer.

La nuit, l'air est plus chaud au-dessus de la mer, qui se refroidit moins que le continent. L'air s'élève au-dessus de l'eau ; il est remplacé par de l'air frais venant du continent, ce qui provoque une brise de terre.

À l'échelle planétaire, ces différences de comportement déterminent d'autres phénomènes, telles les moussons, de toute autre ampleur et rythmés avec précision par les saisons.

Brise de mer et brise de terre

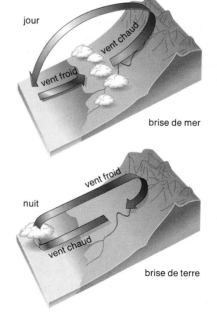

jour

vent chaud

vent froid

brise de mer

nuit

vent froid

vent chaud

brise de terre

D'après La Planète de la vie, Larousse, 1993

LES MILIEUX DE VIE
L'ATMOSPHÈRE
LES EAUX
FLORE ET FAUNE
LES RISQUES
LES ÉVOLUTIONS

Les perturbations météorologiques

L'arrivée d'une perturbation est le signe du mauvais temps, associant passages nuageux et précipitations. Les perturbations résultent de la rencontre de masses d'air différentes.

La formation des nuages

☐ Les nuages et les brouillards se forment par condensation de la vapeur d'eau, qui passe à l'état liquide sous forme de gouttelettes. Cette condensation est provoquée par le refroidissement de l'air, l'air froid ne pouvant contenir autant d'eau à l'état de vapeur que l'air chaud.

☐ Ce refroidissement se produit principalement lorsque l'air monte. Cette ascendance peut être liée à la présence de reliefs, qui sont souvent des zones très arrosées. Elle peut être déterminée par la rencontre avec une autre masse d'air, plus dense et plus froide. L'air le moins dense s'élève, se refroidit, et la vapeur d'eau qu'il contient condense. Cette rencontre détermine l'apparition d'un front atmosphérique.

Les fronts atmosphériques

☐ Un front atmosphérique est la surface qui sépare deux masses d'air de caractéristiques différentes. La masse d'air inférieure correspond à de l'air dense et froid, la masse d'air supérieure à de l'air chaud. Quand l'air chaud refoule l'air froid, cela donne un front chaud. Lorsque l'air froid pénètre sous l'air chaud, cela donne un front froid.

☐ L'ascendance de l'air chaud le long du front entraîne son refroidissement et déclenche des précipitations. Les fronts correspondent ainsi à des zones nuageuses et pluvieuses.

☐ Dans les zones tempérées, les perturbations résultent souvent de l'affrontement entre les masses d'air tropical, chaudes, se déplaçant vers le nord-est, et les masses d'air polaires, froides, se déplaçant vers le sud-ouest. Ces perturbations circulent d'ouest en est.

Passage d'une perturbation atmosphérique

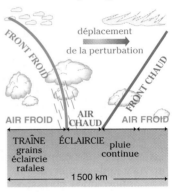

Un anticyclone

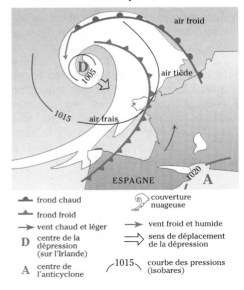

36

LES CYCLONES

Un certain nombre de phénomènes météorologiques dévastateurs corres- pondent à des perturbations tropicales violentes appelées, selon les lieux, cyclones, ouragans ou typhons.

■ Les perturbations tropicales tourbillonnaires

D'après la vitesse moyenne du vent observé en leur sein (calcul sur une minute), on distingue les dépressions tropicales (vitesse moyenne ≤ 62 km/h), les tempêtes tropicales (63 km/h ≤ vitesse ≤ 117 km/h), et les ouragans (vitesse > 118 km/h) répartis eux- mêmes en cinq classes (dont les vitesses en km/h sont respectivement de : classe 1, de 120 à 153 ; classe 2, de 154 à 177 ; classe 3, de 178 à 209 ; classe 4, de 210 à 249 ; classe 5, plus de 249).

■ L'origine des cyclones

La formation d'un cyclone nécessite une évaporation très intense et un mouve- ment ascendant de l'air. Elle ne peut se produire qu'au-dessus d'une étendue marine suffisamment grande et dont la température de surface et sur quelques dizaines de mètres de profondeur est supérieure à 27 °C. Cela limite les cyclones aux zones intertropicales. La perturbation progresse lentement en surface, à une vitesse d'environ 30 km/h.

■ La structure d'un cyclone

Un cyclone est caractérisé par une énorme masse nuageuse, dont le dia- mètre peut atteindre 1 500 km, organi- sée en bandes spiralées, convergeant vers le centre, appelée œil. Celui-ci, qui correspond à la zone de pression atmo- sphérique minimale, a un diamètre moyen de 25 à 35 km et présente un calme apparent : les vents y sont faibles, les précipitations nulles.

La violence du cyclone réside dans la zone qui encercle l'œil (jusqu'à 200 km de rayon), avec des nuages à dévelop- pement vertical considérable (mur de l'œil atteignant de 12 à 15 km d'alti- tude), qui donnent des pluies torren- tielles et des vents très violents. L'arri- vée d'un cyclone est précédée d'une forte houle alors que son passage s'accompagne d'une élévation du niveau moyen de la mer, d'autant plus marquée que la pression est basse.

La seule parade existante est la sur- veillance permanente des zones dange- reuses et l'information des populations.

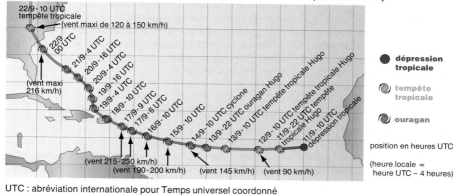

La trajectoire du cyclone Hugo (du 11 au 22 septembre 1989)

UTC : abréviation internationale pour Temps universel coordonné

LES MILIEUX DE VIE

L'ATMOSPHÈRE

LES EAUX

FLORE ET FAUNE

LES RISQUES

LES ÉVOLUTIONS

Les polluants atmosphériques

Le rejet de substances dans l'atmosphère a des effets polluants qui peuvent être locaux, limités à une agglomération, ou s'étendre à l'échelle régionale, voire planétaire.

La pollution atmosphérique

☐ La pollution atmosphérique est définie par la présence dans l'atmosphère d'une ou de plusieurs substances dans des quantités ou sur une période telles qu'elles présentent un effet mesurable sur les êtres vivants et sur les matériaux. Les substances émises dans l'atmosphère sont pour l'essentiel des gaz (90 %) accompagnés de particules liquides ou solides (10 %). La pollution peut résulter d'une augmentation de la concentration de certains constituants naturels de l'atmosphère (dioxyde de carbone ou CO_2, ozone ou O_3...) qui génère des effets indésirables. Cet accroissement peut provenir des activités humaines ou être lié à des phénomènes naturels. La pollution atmosphérique résulte aussi de l'émission de substances de synthèse produites par l'homme. Certains polluants, heureusement exceptionnels, sont des substances radioactives.

☐ Les polluants peuvent avoir des effets locaux ou régionaux en relation avec la circulation atmosphérique. D'autres polluants modifient la composition générale de l'atmosphère et peuvent entraîner des perturbations à l'échelle du globe : c'est le cas, par exemple, des constituants dits à effet de serre (dioxyde de carbone, méthane...) susceptibles d'influer sur la température globale.

Les polluants gazeux

☐ Les principaux polluants gazeux sont le dioxyde et le monoxyde de carbone (CO_2 et CO), les oxydes d'azote (NO, oxyde nitreux, et NO_2, peroxyde d'azote), les oxydes de soufre (SO_2, dioxyde de soufre), l'hydrogène sulfuré (H_2S), les hydrocarbures (CH_4, méthane...) et d'autres composés organiques (comme les chlorofluorocarbones ou CFC) et l'ozone (O_3).

☐ Les polluants gazeux proviennent surtout de la combustion des roches carbonées (charbons, pétroles, gaz naturel) dont l'énergie alimente les différents activités humaines. Cette combustion génère d'énormes quantités de CO_2 et des volumes considérables de CO (ultérieurement transformé dans l'atmosphère en CO_2) et de dérivés azotés et soufrés (combustion des charbons et des fiouls lourds). Elle libère aussi des hydrocarbures imbrûlés.

Les particules

☐ Ces poussières sont de petite taille (de 0,01 à 5 micromètres), ce qui explique qu'elles puissent rester en suspension dans l'air. Elles contiennent des métaux lourds (plomb, mercure...) ou des composés organiques. Les particules liées aux activités humaines ont pour origine les combustions, donnant des suies, et les transports (plomb des carburants, moteurs Diesel). Des quantités importantes de particules peuvent aussi provenir de phénomènes naturels comme le volcanisme ou l'érosion par le vent, qui est favorisée par certaines pratiques culturales.

LES LICHENS, INDICATEURS DE POLLUTION

■ Des organismes sensibles à la pollution atmosphérique

Les lichens sont des organismes végétaux qui associent algues et champignons. Il en existe de très nombreuses espèces qui se développent sur les pierres, les murs ou l'écorce des arbres. On observe que les espaces verts, situés au centre de nombreuses villes, apparaissent comme de véritables déserts licheniques. Les lichens sont très sensibles aux polluants atmosphériques, notamment au SO_2 et aux substances radioactives, qui pénètrent aisément dans les cellules où ils s'accumulent.

■ Estimation de la pollution au dioxyde de soufre

L'étude de la distribution des lichens a permis de dresser des cartes d'association de ceux-ci et de définir des zones à lichens que l'on peut mettre en relation avec la pollution. Le tableau ci-dessous indique les types de lichens rencontrés sur différents supports (arbres et murs) en fonction de la concentration en SO_2 de l'air, ce qui conduit à définir dix zones, de l'air pur à l'air pollué. On étudie aussi parfois la croissance de lichens artificiellement introduits dans un milieu pour estimer la qualité de l'air.

■ D'autres indicateurs de pollution

D'autres végétaux sont parfois utilisés comme indicateurs de pollution ; c'est le cas des plants de tabac, très sensibles à l'ozone ou aux phénylacylnitrates, et des conifères, dont on étudie l'abondance des aiguilles.

Chez les plantes sensibles, une augmentation de la concentration en ozone se traduit par l'apparition de petites taches de nécrose sur les feuilles, une baisse de l'activité photosynthétique et parfois une augmentation de l'activité respiratoire.

Échelle d'estimation de la pollution (graduée de 0 à 10) basée sur la présence de lichens

Zone	SO_2 µg/m³	Espèces caractéristiques				
		sur chêne, frêne, peuplier	sur tilleul érable, orme	sur ciment et murs calcaires	sur toits	sur murs siliceux
0	≫ 200	—	—	*Lecanora dispersa + Lecanora cornizaeoïdes*	*Pleurococcus viridis*	
1	> 170	*Pleurococcus viridis* à la base des troncs				
2	150	*Pleurococcus* sur tout le tronc	*Lecanora conizaeoïdes*	Espèces encroûtantes	*Pleurococcus + Lecanora muralis*	*Pleurococcus + Lecanora coni.*
3	125	*Lecanora conizaeoïdes*		idem + *Xanthoria parietina*	Lichens foliacés	idem + *Lecanora muralis*
4	70	*Parmelia* (base des troncs)	*Xanthoria parietina* (base)			
5	60	*Parmelia* (de 0 à 2,5 m)	*Physcia + Xanthoria*	Relevés non réalisés		
6	50	*Parmelia*	*Physcia*			
7	40	*Parmelia + Usnea*				
8	35	*Parmelia + Usnea*	Quelques *Ramalina*			
9	< 30					
10	air « pur »	*Lobaria Usnea*	Nombreux *Ramalina*			

Pleurococcus est en fait une algue microscopique qui forme les revêtements verts sur le tronc des arbres.

LES MILIEUX DE VIE

L'ATMOSPHÈRE

LES EAUX

FLORE ET FAUNE

LES RISQUES

LES ÉVOLUTIONS

La pollution urbaine

Depuis une vingtaine d'années, la pollution atmosphérique a globalement diminué dans les pays occidentaux. En revanche, l'augmentation de la circulation automobile a provoqué le développement d'une pollution plus spécifique des villes, avec la formation d'oxydes d'azote et d'ozone.

Les polluants urbains

☐ Ils proviennent des rejets conjugués des chauffages urbains, des industries et surtout des transports automobiles. Les principales émissions toxiques sont le monoxyde de carbone, les oxydes d'azote et de soufre et les poussières rejetées, notamment, par les véhicules Diesel.

☐ Outre leurs effets sur la population, ces substances, notamment le dioxyde de soufre (SO_2) et son produit d'oxydation dans l'air, le SO_3 (à l'origine d'acide sulfurique) altèrent les constructions comme les monuments anciens, délités par la "maladie de la pierre". Dans la plupart des villes occidentales, ces polluants apparaissent aujourd'hui en régression : à Paris ou à Londres, la concentration de SO_2 a ainsi été divisée par deux entre 1980 et 1990, ce qui, toutefois, est loin d'être le cas dans d'autres métropoles du monde.

☐ Mais toutes les villes sont le siège d'une importante pollution, qui apparaît sous l'effet de la lumière (pollution dite photo-oxydante). Elle concerne l'ozone, qui constitue une couche protectrice dans la stratosphère, mais qui représente une pollution lorsqu'il s'accumule à basse altitude. Dans l'atmosphère des villes, l'ozone résulte principalement de réactions chimiques qui mettent en jeu les oxydes d'azote et qui se déroulent sous l'action de la lumière.

☐ Par ailleurs, l'ozone peut se former par photo-oxydation de certains composés carbonés comme le monoxyde de carbone (CO), le méthane (CH_4) ou d'autres hydrocarbures. L'ozone se combine, dans certains cas, avec des hydrocarbures imbrûlés (éthane…) et du NO_2, pour donner naissance à des substances toxiques : les peroxyacylnitrates (ou PAN).

Le brouillard photochimique ou smog

☐ La pollution est aggravée par certaines conditions météorologiques, journées d'été de grand soleil ou de forte chaleur, journées d'hiver présentant une inversion thermique, où l'air froid, immobile est maintenu au sol par des masses chaudes en altitude. Certains polluants peu volatils atteignent leur point de saturation et se condensent alors dans des microgouttelettes, pouvant piéger des poussières et étant à l'origine d'un brouillard toxique : le smog (des termes anglais : *smoke*, fumée, et *fog*, brouillard).

☐ Sa formation fait intervenir, selon les lieux, différents types de réactions photochimiques : il peut se développer à partir d'oxydes d'azote et d'hydrocarbures libérés par les gaz d'échappement, ce qui produit ozone, acide nitrique (HNO_3) et PAN, irritant les muqueuses et altérant les feuilles des végétaux. Il peut également apparaître à partir de SO_2 qui, sous l'effet de la lumière, conduit à SO_3 puis, avec l'eau, à l'acide sulfurique (H_2SO_4), substances qui déterminent des troubles respiratoires.

L'AIR DES VILLES

■ Les effets de la pollution urbaine

L'une des marques les plus nettes de la pollution urbaine est le smog, qui correspond au halo jaunâtre qui se développe au-dessus des zones polluées. L'épisode le plus célèbre de smog est celui qui a frappé Londres en décembre 1952 où se sont conjugués un ensemble de facteurs défavorables : chauffage au charbon, industries, anticyclone stable. Le brouillard est épais jusqu'à interdire la circulation des trains et des avions. Le nombre de décès par bronchite est multiplié par dix et la surmortalité (bronchites, pneumonies, accidents cardiovasculaires) est estimée à 4 000 victimes.

Le néfos (nuage, en grec) athénien correspond à une masse nuageuse polluée qui stagne sur Athènes les jours de chaleur. Le néfos altère le marbre du Parthénon qu'il transforme en gypse. Il provoque une augmentation des décès estimée à 5 % lorsque le taux de pollution dépasse la cote d'alerte. Celle-ci est donnée lorsque les concentrations de NO_2, CO et d'ozone atteignent respectivement 500, 25 et 300 microgrammes par mètre cube. Les pouvoirs publics interdisent alors le centre de la ville à la circulation et réduisent de 30 % la production des usines polluantes. Parmi les autres villes atteintes par le smog, on peut citer Los Angeles. Les villes européennes actuellement les plus touchées par la pollution sont, pour le NO_2, Milan et Athènes, pour le SO_2, Leipzig et Prague (chauffage au charbon et au lignite), pour l'ozone, Athènes, et pour les poussières, Prague, Athènes (Paris, de 2 à 3 fois moins).

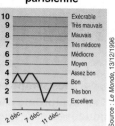

Indice de pollution en agglomération parisienne

Source : Le Monde, 13/12/1996

■ Surveillance et niveaux d'alerte

Des dispositifs de surveillance sont aujourd'hui mis en place avec la définition de niveaux d'alerte. Depuis 1994, la réglementation française prévoit une procédure d'information et d'alerte avec trois niveaux de pollution. Le seuil 3 a été atteint pour la première fois le 10 octobre 1995, avec 483 microgrammes de NO_2 enregistrés en banlieue parisienne.

Niveau d'alerte	Concentration pendant une heure (en microgrammes par m³ d'air)			Recommandations
	ozone O_3	dioxyde de soufre SO_2	dioxyde d'azote NO_2	
Niveau 1	130	200	200	Aucun danger. Les services administratifs et techniques (Ddass) sont mis en alerte et surveillent attentivement l'évolution de la pollution.
Niveau 2	180	350	300	Seuil d'information des autorités et de la population. Information destinée aux personnes sensibles : enfants, personnes âgées, asthmatiques, insuffisants respiratoires et cardiaques, sportifs : limitation des activités.
Niveau 3	360	600	400	Les précautions précédentes s'étendent à toute la population. Le préfet peut inciter la population à limiter l'utilisation de la voiture.

LES MILIEUX DE VIE
L'ATMOSPHÈRE
LES EAUX
FLORE ET FAUNE
LES RISQUES
LES ÉVOLUTIONS

Air et santé

Les observations médicales permettent d'associer aux différents polluants atmosphériques un ensemble de symptômes. Toutefois, les affections contractées peuvent varier avec la concentration du polluant et le temps d'exposition. Les effets à long terme de certaines substances restent mal connus.

Des symptômes reconnus mais des effets mal connus

☐ Les symptômes les plus fréquents correspondent à des inflammations des muqueuses et à des troubles respiratoires. Des substances telles que certains hydrocarbures ou des particules ont vraisemblablement des effets cancérigènes.

☐ L'étendue des nuisances que la pollution peut faire subir à l'organisme est difficile à établir avec précision. Il est en particulier difficile d'analyser séparément l'impact des différents constituants inhalés sous forme de mélange. En outre, les concentrations ne suffisent pas pour définir les dangers potentiels : il peut exister des effets à long terme, aux conséquences pathologiques différées ; ainsi, l'exposition à des fibres d'amiante, utilisées dans la construction jusque dans les années 60 et 70, commence aujourd'hui seulement à révéler ses dangers. Enfin, les effets de plusieurs substances peuvent s'ajouter. La pollution peut ainsi agir comme facteur aggravant du tabagisme. Les études actuellement menées font apparaître des corrélations nettes entre pics de pollution et affections, notamment chez les jeunes enfants et les personnes souffrant déjà de problèmes respiratoires.

L'empoisonnement au monoxyde de carbone (CO)

☐ Tous les hivers se produisent des décès par inhalation domestique accidentelle au monoxyde de carbone. En France, cette intoxication est la première cause de mortalité accidentelle par toxiques, provoquant chaque année entre 300 et 400 décès et entre 5 000 et 8 000 hospitalisations. Le monoxyde de carbone résulte d'un mauvais fonctionnement d'appareils de chauffage ou de chauffe-eau à gaz, qui réalisent une combustion incomplète des molécules. Incolore et inodore, le gaz peut se concentrer sans être détecté et entraîne rapidement la mort.

☐ L'intoxication est aisée car l'hémoglobine (protéine du sang qui assure normalement le transport de l'oxygène des poumons aux cellules) possède une affinité beaucoup plus grande pour le monoxyde de carbone : il suffit que, dans une pièce, la concentration de celui-ci atteigne 1/200e de la concentration de l'oxygène (soit environ un litre de CO pour 1 000 litres d'air contenant 21 % d'oxygène) pour qu'il soit préférentiellement fixé sur l'hémoglobine. Il y a alors blocage du transport de l'oxygène. Ce blocage provoque une baisse importante de l'alimentation en oxygène (ou anoxie), particulièrement grave pour certains organes comme le cerveau et le cœur. Des intoxications très brutales peuvent entraîner une mort quasi instantanée. D'autres, plus lentes, débutent par des maux de tête et une sensation de malaise qui se poursuivent rapidement par une entrée dans le coma.

☐ Pour lutter contre l'empoisonnement, on fournit au malade de l'oxygène à haute pression pour remplacer le monoxyde de carbone par l'oxygène dans l'association avec l'hémoglobine. Depuis le 1/1/1996, les appareils de chauffage doivent présenter un marquage CE correspondant à une norme de sécurité européenne.

LES MALADIES DE LA POLLUTION

■ Les effets des polluants atmosphériques

Les substances contenues dans l'air sont à l'origine de nombreux troubles de santé. Ces troubles affectent plus particulièrement des individus fragiles au plan respiratoire (sujets asthmatiques, par exemple) ou cardiovasculaire (personnes âgées...). Les polluants sont donc des facteurs de risque aggravants.

■ Pollution automobile et santé

Selon certaines études, les émissions automobiles seraient responsables de 15 à 25 % des émissions de dioxyde de soufre, de plus de 70 % de celles d'oxydes d'azote et de 50 à 80 % de celles de particules urbaines (provenant à plus de 80 % des véhicules Diesel). Les automobiles libèrent aussi des hydrocarbures toxiques de type benzène. L'air des parkings souterrains renferme respectivement 10 et 4 fois plus de benzène et de poussières que l'air de la surface, pourtant déjà très pollué ! Selon des études de la Société française de santé publique (1996), un millier de décès prématurés seraient, en France, liés aux émissions automobiles. Ces décès, qui frappent surtout des personnes âgées et des malades souffrant de troubles cardiovasculaires, surviennent de 1 à 3 jours après un pic de pollution. D'autres études (1995) révèlent des corrélations entre augmentation de l'ozone et taux d'hospitalisation. L'insuffisance des connaissances, notamment sur les effets à long terme, ne doit pas empêcher la mise en place des mesures nécessaires. L'installation de pots catalytiques (contenant des catalyseurs au platine qui transforment trois polluants majeurs en composés non toxiques, avec réduction des oxydes d'azote en azote et oxydation du monoxyde de carbone et des hydrocarbures en dioxyde de carbone et vapeur d'eau) réduit sans doute les émissions polluantes. Mais une diminution significative de la pollution automobile nécessite bien d'autres décisions.

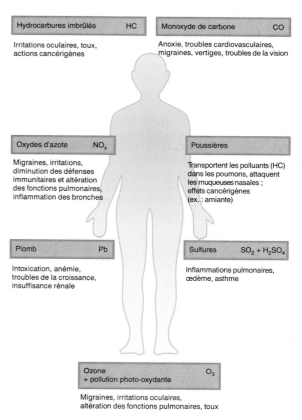

Hydrocarbures imbrûlés   HC
Irritations oculaires, toux, actions cancérigènes

Monoxyde de carbone   CO
Anoxie, troubles cardiovasculaires, migraines, vertiges, troubles de la vision

Oxydes d'azote NO_x
Migraines, irritations, diminution des défenses immunitaires et altération des fonctions pulmonaires, inflammation des bronches

Poussières
Transportent les polluants (HC) dans les poumons, attaquent les muqueuses nasales ; effets cancérigènes (ex. : amiante)

Plomb   Pb
Intoxication, anémie, troubles de la croissance, insuffisance rénale

Sulfures $SO_2 + H_2SO_4$
Inflammations pulmonaires, œdème, asthme

Ozone O_3
+ pollution photo-oxydante
Migraines, irritations oculaires, altération des fonctions pulmonaires, toux

LES MILIEUX DE VIE
L'ATMOSPHÈRE
LES EAUX
FLORE ET FAUNE
LES RISQUES
LES ÉVOLUTIONS

Les pluies acides

À l'échelle continentale, l'une des conséquences dramatiques de la pollution atmosphérique est l'extension, depuis une quarantaine d'années, des pluies acides qui affectent aujourd'hui pratiquement tout l'hémisphère boréal. Leur impact est considérable sur les écosystèmes continentaux, aquatiques et forestiers.

L'origine des pluies acides

Les pluies acides sont des précipitations qui présentent une acidité anormalement élevée par rapport aux précipitations recueillies dans des environnements non pollués. L'acidité de ces pluies provient essentiellement de deux polluants atmosphériques, pour 70 % le dioxyde de soufre (SO_2), produit en abondance par les centrales thermiques au charbon, les industries métallurgiques et de pâte à papier, et pour 30 % les oxydes d'azote provenant des combustions et des gaz d'échappement. Dans l'atmosphère, ces gaz se transforment en sulfates et en nitrates, donnant de l'acide sulfurique (H_2SO_4) et de l'acide nitrique (HNO_3).

Les effets des pluies acides

☐ Les pluies acides ont des conséquences écologiques désastreuses. Elles provoquent, en particulier, l'acidification de nombreux lacs, notamment ceux établis sur des roches granitiques, dont les éléments chimiques ne peuvent atténuer l'acidité des eaux. Ces types de lac sont les plus répandus en Scandinavie et au Canada. L'acidification des eaux entraîne un appauvrissement considérable des communautés biologiques, une simplification des réseaux trophiques et peut, à terme, provoquer la mort écologique du lac.

☐ L'autre aspect dramatique des pluies acides est le dépérissement important des forêts boréales et tempérées. En 1984, 51 % de la surface forestière de l'Allemagne de l'Ouest montraient des signes de dégénérescence. En France, ceux-ci se développent dans tous les massifs forestiers. Les lésions apparaissent d'abord sur les conifères, dont les aiguilles, exposées toute l'année, jaunissent et tombent. L'arbre, conifère ou feuillu, subit une défoliation progressive, se dessèche et meurt sur pied.

Les pluies acides en Europe

Les valeurs indiquées correspondent au pH des eaux, qui mesure l'acidité. Le pH, compris entre 0 et 14, est d'autant plus faible que l'eau est acide. Une solution neutre a un pH de 7. La pluie la plus acide jamais enregistrée en Europe est tombée en 1974 en Écosse, avec un pH de 2,4 ! Des phénomènes comparables s'observent en Amérique du Nord.

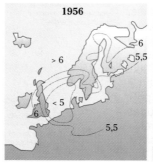
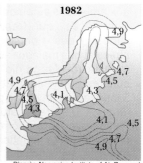

D'après *Norwegian Institute of Air Research*

LE DÉPÉRISSEMENT DES FORÊTS

Ces effets, complexes, mettent vraisemblablement en jeu différentes causes en interaction. Outre le SO_2, certaines hypothèses font intervenir l'ozone résultant de phénomènes de photo-oxydation. Ces polluants provoquent une baisse de l'activité de la photosynthèse. Ils déterminent des lésions des feuilles et entraînent des pertes en éléments chimiques (calcium, magnésium). Le SO_2 provoque une augmentation de la transpiration des feuilles, appauvrissant le végétal en eau. Enfin,

ces pluies acidifient également les sols, ce qui ralentit l'activité des décomposeurs et, par suite, le recyclage des éléments minéraux nécessaires à la croissance des végétaux. Du fait des variations d'acidité, certains éléments chimiques comme l'aluminium, habituellement retenus par les argiles du sol, peuvent être solubilisés et intoxiquer les racines. L'origine et les effets des pluies acides font l'objet de controverses qui ralentissent parfois de manière regrettable les décisions nécessaires.

Les effets des polluants sur les arbres

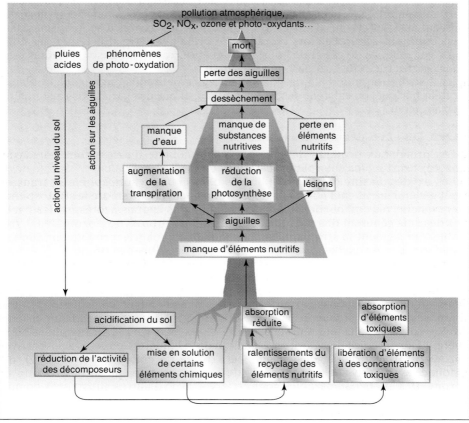

45

LES MILIEUX DE VIE
L'ATMOSPHÈRE
LES EAUX
FLORE ET FAUNE
LES RISQUES
LES ÉVOLUTIONS

La couche d'ozone stratosphérique

L'ozone, de formule O_3 (trois atomes d'oxygène) est un constituant qui s'observe dans la basse atmosphère. Mais l'essentiel se situe à haute altitude, dans la stratosphère.

L'équilibre naturel de la couche d'ozone

☐ L'essentiel de l'ozone (93 %) est localisé dans la stratosphère, avec une concentration maximale vers 30 km. Celle-ci reste cependant faible (8 parties par million) : tout l'ozone atmosphérique, ramené dans les conditions de pression et de température du sol, formerait une couche de 3 à 5 mm d'épaisseur seulement.

☐ L'ozone (O_3) est produit par action du rayonnement solaire qui provoque la rupture (ou photolyse) des molécules d'oxygène (O_2). Sous l'effet des radiations, une partie de l'ozone formé redonne de l'oxygène.

☐ Formation et dégradation maintiennent la couche d'ozone dans un état d'équilibre dynamique. Le cycle de l'ozone est régi par des phénomènes complexes où peuvent aussi intervenir d'autres molécules, tels des oxydes d'azote formés dans des conditions naturelles lors d'orages. Ce cycle peut être affecté par des émissions volcaniques de gaz et de poussières qui pourraient favoriser certaines réactions destructrices de l'ozone.

☐ La distribution mondiale de l'ozone est également affectée par la circulation stratosphérique, où existent des vents violents, et par des variations saisonnières d'éclairement.

Les effets des activités humaines

☐ Les principaux produits dangereux pour la couche d'ozone sont les oxydes d'azote et surtout les chlorofluorocarbones ou CFC.

☐ Les oxydes d'azote (NO et NO_2) libérés dans la basse atmosphère se transforment généralement en d'autres composés et ne peuvent atteindre la stratosphère. En revanche, les combustions et la dégradation des engrais azotés par les bactéries des sols génèrent des quantités croissantes de protoxyde d'azote (N_2O), très stable, qui gagnent la stratosphère. Les radiations solaires provoquent alors sa transformation en oxydes d'azote qui modifient l'équilibre de l'ozone.

☐ La principale menace est représentée par les CFC, dérivés chlorés et fluorés d'hydrocarbures simples comme le méthane, et dont les usages sont très divers (propulseurs d'aérosols, agents de réfrigération ou de climatisation, agents gonflants de certaines mousses rigides utilisées dans l'emballage, isolation...). Ces composés sont très stables et peuvent subsister sans altération pendant plusieurs dizaines d'années. Ils montent lentement (en dix ans) vers la stratosphère où ils libèrent leurs atomes de chlore sous l'action de la lumière. Ceux-ci réagissent avec l'ozone, le transformant en oxygène. De l'oxyde de chlore apparaît (ClO), qui redonne, avec l'oxygène, des atomes de chlore, entretenant la destruction de l'ozone. Des effets comparables sont observés avec d'autres substances comme les halons, analogues aux CFC mais où le chlore est remplacé par du brome, ou comme le bromure de méthyle.

LA CHIMIE DE L'OZONE

Trop d'ozone dans les villes, trou d'ozone dans la haute atmosphère ! Il faut distinguer clairement l'ozone de la basse atmosphère, ou ozone tropo-sphérique, de l'ozone de la haute atmo-sphère, ou ozone stratosphérique.

■ L'ozone troposphérique

L'ozone troposphérique est souvent évo-qué dans le cas des pollutions urbaines, où sa concentration augmente de manière importante. Sa formation fait intervenir des réactions complexes entre les oxydes d'azote (dioxyde et monoxyde) sous l'effet de la lumière (photo-oxyda-tion). D'autres constituants de la basse atmosphère, comme le méthane ou le monoxyde de carbone, peuvent participer aux réactions.

■ L'ozone stratosphérique

L'ozone stratosphérique est celui de la couche d'ozone située à environ 30 km et qui nous protège de certains rayonne-ments ultraviolets.
Sa formation se fait à partir de l'oxygène sous l'effet de la lumière. La couche d'ozone est dégradée par certaines des molécules (comme les CFC) produites par l'homme à basse altitude et qui gagnent la stratosphère.
Les transferts d'ozone entre troposphère et stratosphère paraissent inexistants : l'ozone troposphérique a une durée de vie trop courte pour gagner la haute atmosphère. Une diminution de l'ozone stratosphérique ne peut être compensée par l'augmentation de l'ozone tropo-sphérique.

La chimie de l'ozone

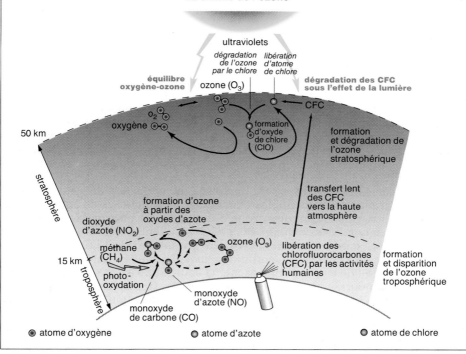

50 km

stratosphère

ultraviolets

dégradation de l'ozone par le chlore

libération d'atome de chlore

équilibre oxygène-ozone

ozone (O_3)

dégradation des CFC sous l'effet de la lumière

CFC

O_2

oxygène

formation d'oxyde de chlore (ClO)

formation et dégradation de l'ozone stratosphérique

transfert lent des CFC vers la haute atmosphère

formation d'ozone à partir des oxydes d'azote

dioxyde d'azote (NO_2)

méthane (CH_4)

15 km

ozone (O_3)

photo-oxydation

troposphère

monoxyde d'azote (NO)

monoxyde de carbone (CO)

libération des chlorofluorocarbones (CFC) par les activités humaines

formation et disparition de l'ozone troposphérique

◉ atome d'oxygène   ● atome d'azote   ○ atome de chlore

47

LES MILIEUX DE VIE

L'ATMOSPHÈRE

LES EAUX

FLORE ET FAUNE

LES RISQUES

LES ÉVOLUTIONS

La dégradation de la couche d'ozone

La détection, en 1985, d'un « trou » dans la couche d'ozone stratosphérique au-dessus du continent Antarctique a révélé la fragilité de notre bouclier contre les ultraviolets.

L'origine des « trous polaires »

☐ Détecté pour la première fois en 1985, le « trou d'ozone antarctique » correspond à une diminution importante (de près de 50 %) de la concentration en ozone stratosphérique, enregistrée au début du printemps austral (septembre-octobre). D'une année sur l'autre, cette déperdition croît en intensité (+ 10 % entre 1994 et 1995) et en surface : la surface affectée en 1995 a doublé par rapport à 1994 et équivaut à la superficie de l'Europe.

☐ Pendant l'hiver, une circulation atmosphérique en tourbillon autour du pôle Sud isole l'atmosphère antarctique du reste de l'hémisphère. Du fait des basses températures, des nuages atmosphériques de glace se condensent, qui piègent au-dessus du pôle des composés azotés mais surtout chlorés (oxydes de chlore). Le retour du soleil au printemps provoque la libération d'atomes de chlore sous l'effet de la lumière, atomes de chlore qui dégradent la couche d'ozone. Une forte destruction de l'ozone est également enregistrée depuis 1991 au-dessus du pôle Nord. Sous nos latitudes, on observe une diminution saisonnière moindre mais réelle (perte de 6 % par décennie).

Les dangers de la dégradation

☐ La couche d'ozone stratosphérique absorbe les rayons ultraviolets les plus énergétiques, les UVB, dont la longueur d'ondes est inférieure à 290 nanomètres. Les UVB peuvent déterminer des modifications d'une molécule biologique essentielle, l'ADN ou acide désoxyribonucléique, qui est le support de l'information génétique dans les cellules. Ces modifications sont parfois à l'origine de cancers cutanés dont la fréquence augmente. D'autres conséquences pourraient également s'observer sur l'activité photosynthétique des végétaux chlorophylliens.

L'évolution de la couche d'ozone

☐ Même si les mesures effectuées sont toujours d'interprétation délicate, du fait du nombre des paramètres susceptibles de modifier les équilibres de l'atmosphère, les relations entre diminution de l'ozone atmosphérique et accroissement de la concentration en composés chlorés, dont 85 % résultent des activités humaines, sont aujourd'hui clairement démontrées. La production de CFC au cours des années passées a multiplié la concentration atmosphérique en chlore par six entre 1950 et 1990. Du fait de leur lenteur à gagner la haute atmosphère, seule une partie des CFC produits pourrait avoir actuellement atteint la stratosphère.

☐ Par ailleurs, les études révèlent les nuisances, jusqu'alors non détectées, de composés dangereux comme le bromure de méthyle (CH_3Br), pesticide utilisé en grande quantité dans l'agriculture tropicale et qui apparaît 50 fois plus nocif que les CFC pour la couche d'ozone.

LA PROTECTION DE LA COUCHE D'OZONE

■ Le remplacement des produits dangereux

La sauvegarde de la couche d'ozone impose des mesures de restriction et de substitution des produits dangereux. Les CFC (ou chlorofluorocarbones), dont les premiers ont été produits dans les années 30, sont des composés aux propriétés remarquables (stabilité, ininflammabilité, solvants non toxiques...) expliquant leurs multiples utilisations (propulsion des aérosols, réfrigération, climatisation, mousses synthétiques). Leurs effets démontrés sur la couche d'ozone ont conduit à la recherche de produits de substitution. Les CFC sont remplacés par des hydro-carbures et d'autres pro-duits de substitution dont le temps de résidence dans l'atmosphère est moindre. Les HCFC (ou hydrochlorofluorocar-bones), bien que 20 fois moins réactifs que les CFC, conservent des effets dangereux qui n'en font que des solutions transitoires (substi-tuts de première génération). D'autres produits, les HFC (ou hydrofluorocar-bones), sont actuellement mis au point comme substituts de deuxième généra-tion. Les autres produits dangereux pour la couche d'ozone sont les halons, composés contenant du brome et utili-sés notamment dans les extincteurs, et le bromure de méthyle, utilisé comme pesticide dans la préparation des sols, les cultures sous serre et l'expédition des produits agricoles (fruits, fleurs, légumes). Ces composés n'ont pour l'instant que des produits de remplace-ment (les HBF ou hydrobromofluorocar-bones), peu satisfaisants et également dangereux pour l'ozone.

PRÉSERVE LA COUCHE D'OZONE

■ Le Protocole de Montréal

Les premières indications alarmantes sur la diminution de l'ozone stratosphé-rique sont apparues entre 1970 et 1980, initiant une négociation internationale en 1981.

Le principal accord est le Protocole de Montréal, signé en 1987 par les principaux pays producteurs et utilisa-teurs de CFC (CEE + 24 pays, à l'exception des pays de l'Est, de l'Inde et de la Chine), est entré en vigueur le 1er janvier 1989. Il définissait des paliers de réduction des CFC et des halons entre 1989 et l'an 2000 et accorde dix ans de délai aux pays en développement.

Le Protocole, rejoint par la quasi-totalité de la communauté internatio-nale, a été périodique-ment révisé, notamment lors de la Conférence de Copenhague, en 1992, qui a fixé la fin de produc-tion des halons en Europe au 1/1/1994, celle des CFC au 1/1/1996 dans les pays indus-trialisés et en 2010 dans les pays en développement. La production des HCFC sera réduite, jusqu'à leur interdiction en 2020. En décembre 1995, à Vienne, une nouvelle réunion a envisagé de nouvelles réglementations portant, par exemple, sur le bromure de méthyle. La concentration de chlore et de brome continue cependant à croître dans la stratosphère. Selon certaines estimations, une première diminution de la concentration en CFC pourrait s'observer au début du siècle prochain, la reconstitution de la couche d'ozone n'intervenant de toute façon pas avant au moins une cinquantaine d'années.

LES MILIEUX DE VIE
L'ATMOSPHÈRE
LES EAUX
FLORE ET FAUNE
LES RISQUES
LES ÉVOLUTIONS

L'effet de serre

Des études récentes montrent que la température moyenne de la Terre, qui se situe entre 14 et 15 °C, a augmenté depuis le siècle dernier, selon les estimations, de 0,3 à 0,6 °C, pour atteindre en 1995 une valeur maximale. Ces données alimentent un débat complexe sur l'effet de serre.

▬▬▬ L'effet de serre, un phénomène naturel

☐ L'atmosphère laisse passer une partie (environ les deux tiers) du rayonnement solaire qui échauffe la surface terrestre, le tiers restant étant réfléchi. La surface échauffée réémet vers l'atmosphère des rayonnements de longueur d'ondes différentes, correspondant à des infrarouges. À la différence des radiations solaires parvenues jusqu'à la surface de la Terre (radiations incidentes), ces rayons infrarouges réémis peuvent être piégés, c'est-à-dire absorbés, par certains constituants de l'atmosphère. L'énergie des rayons est alors conservée, ce qui accroît la température de la basse atmosphère.

☐ L'effet de serre est ainsi appelé par analogie avec ce qui se passe dans une serre dont les parois vitrées arrêtent les radiations infrarouges émises par le sol. L'effet de serre est donc un phénomène naturel. Il participe de façon prépondérante à l'équilibre thermique de la planète, dont la température moyenne, sans lui, s'établirait aux alentours de – 18 °C.

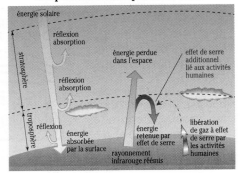

L'équilibre thermique de la Terre

▬▬▬ Les gaz à effet de serre

☐ Les gaz à effet de serre sont les gaz susceptibles d'absorber les rayonnements infrarouges réémis par la surface terrestre. Les principaux gaz à effet de serre sont la vapeur d'eau, le dioxyde de carbone (CO_2), le méthane (CH_4), les oxydes d'azote (protoxyde d'azote, N_2O), les chlorofluorocarbones (ou CFC) et l'ozone stratosphérique. La participation des différents constituants à l'effet de serre dépend de leur concentration et de leurs propriétés physicochimiques d'absorption des infrarouges émis par le sol. À masse égale, le méthane, le protoxyde d'azote ou les CFC ont ainsi des capacités d'absorption égales, respectivement, à 20, 50 et 4 000 à 5 000 fois celle du CO_2. Les CFC, bien que faiblement représentés dans l'atmosphère, ont ainsi un effet important, d'autant qu'ils peuvent y persister longtemps (plusieurs dizaines d'années).

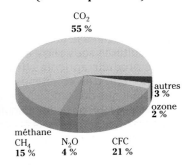

Participation des gaz à l'effet de serre en 1990 (sans la vapeur d'eau)

CO_2
55 %

autres
3 %

ozone
2 %

méthane
CH_4
15 %

N_2O
4 %

CFC
21 %

ORIGINE ET ÉVOLUTION DES GAZ À EFFET DE SERRE

■ L'origine des gaz à effet de serre

Certains gaz à effet de serre sont naturellement présents dans l'atmosphère (eau, H_2O ; dioxyde de carbone, CO_2...). Les activités humaines ont considérablement accru la concentration en certains composés, comme le CO_2, le protoxyde d'azote ou le méthane, et déterminé l'apparition de nouveaux constituants comme les CFC.

Le dioxyde de carbone provient pour l'essentiel de la combustion des roches carbonées. Le méthane résulte principalement de la décomposition bactérienne de la matière organique dans des milieux pauvres en oxygène (zones marécageuses, rizières, décharges, mais aussi panse des ruminants) et de l'exploitation des ressources énergétiques.

Les combustions apparaissent comme une des principales sources de protoxyde d'azote (N_2O) alors que les CFC sont d'origine industrielle.

■ Reconstitution de l'évolution

Il est possible de reconstituer l'évolution des concentrations atmosphériques grâce à l'analyse de bulles d'air contenues dans des carottes de glace forées en Antarctique et qui constituent des témoins d'atmosphères passées.

L'étude des bulles d'air d'une carotte glaciaire prélevée à la base russe de Vostok, en Antarctique, permet de suivre l'évolution de la concentration en CO_2 et en méthane au cours des 400 000 dernières années.

La mise en relation avec l'évolution des températures, déterminée à partir de certains éléments chimiques, montre une corrélation entre température élevée et accroissement des concentrations, sans que toutefois celle-ci permette d'établir avec certitude une relation de causalité.

■ Des concentrations croissantes

Les concentrations en dioxyde de carbone et en méthane et leur vitesse d'accroissement sont aujourd'hui plus élevées que jamais. Du fait de leur temps de décroissance, leur influence sur l'effet de serre peut s'étendre sur plusieurs dizaines d'années.

Les sources de méthane naturelles et liées aux activités humaines (Mt/an)

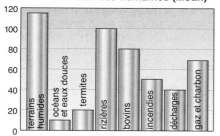

Source *La Recherche*, mai 1992

L'évolution des gaz à effet de serre d'origine humaine

Concentration dans dans l'atmosphère	CO_2	Méthane CH_4	CFC11	CFC12	Protoxyde d'azote N_2O
Unité*	ppmv	ppmv	pptv	pptv	ppbv
Niveau glaciaire (il y a 2 000 ans)	200	0,35	0	0	90
Niveau pré-industriel	280	0,8	0	0	280
Niveau actuel	355	1,72	280	484	310
Variation annuelle (en quantité)	1,8	0,015	10	17	0,8
(en %)	(0,5 %)	(0,9 %)	(4 %)	(4 %)	(0,25 %)
Temps de décroissance dans l'atmosphère (années)		10	60	120	150

* ppmv : partie par million en volume (10^{-6}) ; ppbv : partie par milliard en volume (10^{-9}) ; pptv : partie par billion en volume (10^{-12})

51

LES MILIEUX DE VIE
L'ATMOSPHÈRE
LES EAUX
FLORE ET FAUNE
LES RISQUES
LES ÉVOLUTIONS

Effet de serre et modifications du climat

Les observations actuelles attestent d'un réchauffement général de la planète. Cependant, l'influence d'innombrables paramètres rend difficile la prévision des évolutions futures.

▬▬ Les modifications climatiques actuelles

Le climat à l'échelle de la planète est étudié par un groupe d'experts internationaux, le GIEC (Groupe intergouvernemental d'études sur les changements climatiques), constitué en 1989, sous l'égide des Nations unies, et chargé de conseiller les gouvernements sur les problèmes climatiques. Deux rapports d'évaluation, publiés en 1990 et 1995, révèlent que la température moyenne de la Terre a augmenté d'environ 0,5 °C depuis la fin du XIXe siècle. L'eau des océans, plus chaude, occupe davantage de volume du fait de la dilatation, ce qui explique la montée de 10 à 20 cm du niveau des océans. Ce réchauffement semble attesté par le recul des glaciers alpins, qui auraient perdu en un siècle entre 1/5 et 1/3 de leur surface.

▬▬ La modélisation des climats futurs

Les premières incertitudes qui pèsent sur les modèles concernent l'évolution future des concentrations atmosphériques des gaz à effet de serre. De nombreux modèles sont établis dans l'hypothèse d'un doublement de la concentration de dioxyde de carbone. La plupart prédisent, dans ce cas, un réchauffement de la surface terrestre estimé entre 1,9 et 5,4 °C (de 1 à 3,5 °C d'augmentation en 2100 pour le GIEC). L'amplitude de la fourchette dépend, en particulier, de la prise en compte de phénomènes ayant des incidences contraires sur l'effet de serre : une augmentation de température peut ainsi accroître l'évaporation et, par suite, la couverture nuageuse. Celle-ci refroidit la surface en réfléchissant davantage l'énergie solaire, mais accroît l'effet de serre du fait de la vapeur d'eau. De nombreux modèles s'accordent sur une élévation du niveau marin (+ 50 cm à l'horizon 2100 ?), principalement du fait de la dilatation thermique des océans, plus chauds.

▬▬ Les conséquences du réchauffement

L'étude des climats anciens (ou paléoclimatologie) montre qu'une variation globale de température, même de quelques degrés, s'est toujours accompagnée de modifications climatiques importantes. Ainsi, au cours du dernier maximum glaciaire (– 18 000 ans), alors que la température moyenne estimée de la Terre n'était pourtant inférieure que de 4 à 5 °C à celle d'aujourd'hui, le Canada et l'Europe du Nord étaient recouverts d'une calotte glaciaire de 3 à 4 km d'épaisseur, qui s'étendait en hiver jusqu'à la latitude de l'Irlande, et l'océan, à 6 °C, charriait des icebergs devant les côtes françaises.
Des modifications pourraient affecter le régime des précipitations et, par suite, la répartition de la végétation. La distribution des cyclones, qui n'apparaissent qu'au-dessus d'eaux océaniques dépassant 27 °C, pourrait être modifiée. L'extension de certaines maladies, comme le paludisme, pourrait aussi s'accroître.

LE CYCLE DU CARBONE

Le dioxyde de carbone atmosphérique contribue de manière importante à l'effet de serre. Sa concentration a augmenté de manière préoccupante depuis le début du siècle, ce qui rend nécessaire de mieux comprendre le cycle du carbone. La concentration atmosphérique du CO_2 dépend d'un certain nombre d'équilibres impliquant les océans, les végétaux, les roches et les activités humaines.

■ Le carbone des océans

Le CO_2 peut se dissoudre dans l'eau des océans. Cette dissolution est d'autant plus importante que l'eau est froide. Une augmentation de température liée à l'accroissement de l'effet de serre peut ainsi réduire la dissolution et donc le piégeage de celui-ci, ce qui contribue à renforcer l'effet de serre.

■ Le carbone de la biosphère

Une partie du CO_2 est utilisée par les êtres vivants qui forment leur matière organique : la matière végétale des forêts stocke donc du carbone, qui peut regagner l'atmosphère, par exemple lors des combustions.

■ Le carbone des roches

Le carbone dissous dans l'eau donne des ions carbonates qui peuvent précipiter avec le calcium pour former des calcaires, piégeant ainsi du carbone à l'échelle des temps géologiques. Du carbone fossile est aussi stocké dans les roches énergétiques carbonées (charbons et pétroles).

■ Les modifications dues aux activités humaines

Enfin, les activités humaines (combustion des roches carbonées, déforestation...) modifient de manière importante ce cycle du carbone.

Le schéma ci-dessous présente une estimation (en gigatonnes) des principaux échanges entre 1980 et 1989. Un excédent libéré de 3,2 Gt serait responsable d'un accroissement de l'effet de serre.

Ces équilibres restent cependant mal appréciés en raison de leurs temps de réponse, beaucoup plus longs que les variations liées aux activités humaines, ce qui peut produire des effets retard mal connus.

Bilan des échanges de carbone entre les différents réservoirs

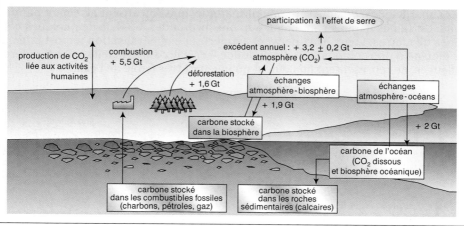

53

LES MILIEUX DE VIE
L'ATMOSPHÈRE
LES EAUX
FLORE ET FAUNE
LES RISQUES
LES ÉVOLUTIONS

L'eau sur la Terre

Vue de l'espace, la Terre apparaît comme une planète bleue, sa surface étant à 70 % océanique. La présence d'eau liquide est une originalité qui a permis l'épanouissement de la vie. À la surface de la planète, l'eau décrit un cycle entre plusieurs réservoirs.

La planète bleue

L'eau existe dans différentes planètes du système solaire, comme Mars ou Vénus. Mais la Terre est la seule planète à présenter de l'eau sous ses trois états, gazeux (vapeur d'eau), solide (glaces) et surtout liquide, ce qui fait son originalité. La présence d'eau liquide a conditionné l'apparition de la vie, en milieu aquatique, il y a plus de 3,8 milliards d'années. En outre, l'eau liquide sculpte la surface du globe, en altérant et en érodant les roches, en transportant les matériaux érodés jusqu'à leur dépôt dans des zones de sédimentation.

Les réservoirs de l'eau

☐ Les différentes masses d'eau : eaux océaniques, eaux des fleuves…, constituent des réservoirs dont l'ensemble est l'hydrosphère.

☐ Le plus grand réservoir est le domaine océanique, qui stocke plus de 97 % de l'eau. Les surfaces océaniques sont inégalement réparties à la surface du globe et prédominent dans l'hémisphère Sud.

☐ Les eaux douces ne représentent qu'une très faible part de l'eau totale. À plus de 75 %, elles sont retenues sous forme de neiges et de glaces. La principale masse de glace recouvre le continent antarctique, formant un inlandsis de plus de 13 millions de km^2 (25 fois la France), dont l'épaisseur moyenne est de 2 200 mètres et qui peut atteindre 4 300 mètres. On estime que la fusion totale des glaciers polaires et de montagnes éleverait le niveau marin d'environ 60 mètres.

☐ Le reste des eaux douces est principalement contenu dans les réservoirs souterrains, sous forme de nappes d'eau souterraines. Ces nappes d'eau peuvent être très superficielles, comme la nappe phréatique, que l'on atteint aisément par des puits. Certaines nappes sont beaucoup plus profondes, au-delà de quelques centaines de mètres. Leurs eaux peuvent acquérir une minéralisation importante qui les éloigne d'une composition d'eau douce. Les eaux superficielles : lacs, rivières et fleuves, ne représentent finalement qu'une part très faible de l'eau.

La répartition des eaux sur la Terre (en %)

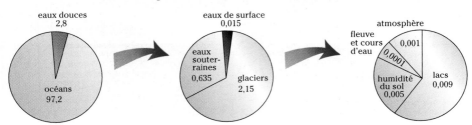

eaux douces 2,8
océans 97,2

eaux de surface 0,015
eaux souterraines 0,635
glaciers 2,15

atmosphère
fleuve et cours d'eau 0,001
0,0001
humidité du sol 0,005
lacs 0,009

LE CYCLE DE L'EAU

■ De l'eau liquide à la vapeur d'eau

La circulation de l'eau se fait à l'état gazeux et liquide, la glace constituant une immobilisation temporaire. Le passage de l'eau liquide à la vapeur d'eau correspond à l'évaporation permise par l'énergie solaire. L'essentiel de l'évaporation se fait au-dessus des domaines marins, où se forment les masses nuageuses. Sur les surfaces continentales couvertes de végétation, l'eau évaporée provient en partie des sols et en partie des végétaux. Une part importante de l'eau absorbée au niveau des racines est en effet perdue au niveau des feuilles : il s'agit de la transpiration. L'évapotranspiration est l'ensemble des pertes correspondant à la transpiration et à l'évaporation. Outre la transpiration, la respiration des êtres vivants est un autre processus biologique qui produit de la vapeur d'eau. Les éruptions volcaniques sont aussi sources de vapeur d'eau, parfois d'origine interne.

■ De la vapeur d'eau à l'eau liquide

La vapeur d'eau atmosphérique se condense sous forme de précipitations sur les océans et sur les continents. Les conditions climatiques (température, circulation atmosphérique) et les facteurs orographiques (présence de reliefs) déterminent la distribution géographique et l'ampleur des précipitations.

■ La circulation de l'eau liquide

Le moteur de la circulation de l'eau liquide est la gravité. Les eaux de surface ruissellent et s'infiltrent en fonction de la perméabilité des terrains rencontrés et de la densité du couvert végétal, qui limite le ruissellement. Le couvert végétal absorbe une partie de l'eau, dont l'essentiel est ensuite vaporisé par évapotranspiration. L'autre partie alimente les réseaux hydrographiques superficiels et gagne les nappes d'eau souterraine, en s'infiltrant à travers les terrains perméables.

Le cycle de l'eau

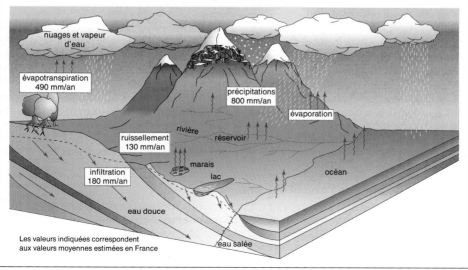

nuages et vapeur d'eau

évapotranspiration 490 mm/an

précipitations 800 mm/an

évaporation

ruissellement 130 mm/an

rivière

réservoir

infiltration 180 mm/an

marais

lac

océan

eau douce

eau salée

Les valeurs indiquées correspondent aux valeurs moyennes estimées en France

LES MILIEUX DE VIE

L'ATMOSPHÈRE

LES EAUX

FLORE ET FAUNE

LES RISQUES

LES ÉVOLUTIONS

Les besoins en eau des organismes

L'impact d'une coupure d'eau sur la vie quotidienne suffit à révéler l'importance de l'eau. C'est une molécule indispensable aux organismes, dont elle est le principal constituant.

■■■■ L'eau dans les organismes

☐ L'eau est, en masse, le constituant le plus important des organismes. Par exemple, le corps humain contient 65 % d'eau, soit environ 50 litres d'eau pour un homme de 80 kg.

☐ La teneur en eau peut varier selon les organismes : elle dépasse 80 % dans le cas des champignons et atteint 95 % dans le cas des méduses ! Certains organismes montrent parfois une teneur beaucoup plus faible, comme les graines des végétaux (de 10 à 20 %).

☐ Dans l'organisme, l'eau peut être située dans les cellules ou hors des cellules : chez l'homme, par exemple, l'ensemble des cellules représente environ 35 litres d'eau. Les 15 litres restants de liquide (dit extracellulaire) correspondent au plasma sanguin (liquide du sang dans lequel baignent les globules) et à la lymphe, liquide situé entre toutes les cellules.

☐ L'eau contient les différentes substances nécessaires à la vie des cellules (exemple : oxygène, glucose...). À l'intérieur d'un organisme, c'est un agent de transport (sang ou sève chez les végétaux) qui assure l'approvisionnement des cellules et élimine leurs déchets. Toutes les réactions du métabolisme se produisent en milieux aqueux.

■■■■ Les besoins en eau des végétaux chlorophylliens

☐ Les végétaux chlorophylliens sont des grands consommateurs d'eau. Celle-ci est prélevée dans le sol grâce aux racines. La plus grande partie de l'eau circule dans le végétal sous forme de sève brute et est perdue par évapotranspiration au niveau des feuilles. Des mesures et des calculs, effectués sur un érable de 14 mètres de haut, ont conduit à estimer les pertes à environ 220 litres d'eau par heure ! (pour environ 177 000 feuilles, développant une surface de plus de 700 m^2).

☐ Le reste de l'eau est conservé et entre dans des réactions chimiques qui conduisent à la synthèse de molécules organiques (glucides, lipides ou protides). Cette matière organique synthétisée représente la matière sèche du végétal, soit environ 20 % du poids du végétal. On montre ainsi que l'obtention d'un kilogramme de matière sèche de maïs ou de blé a finalement requis, respectivement, 250 et 600 litres d'eau !

■■■■ Les besoins de l'organisme humain

☐ Notre organisme a des exigences quantitatives strictes, puisque la perte de 15 % de l'eau suffit à provoquer la mort. L'organisme perd dans des conditions moyennes, sous nos climats, environ 2 litres d'eau par jour (1,5 litre par excrétion urinaire, le reste par transpiration et respiration). Les efforts physiques ou l'élévation de température peuvent quintupler les pertes.

LES USAGES DE L'EAU PAR L'HOMME

■ Les usages domestiques et collectifs

En France, la consommation domestique est d'environ 140 litres par personne et par jour en moyenne. La plus grande partie est consacrée à l'hygiène (sanitaires, bains et douches). Seul 1 % de l'eau potable est effectivement bu ! Cette consommation est doublée si l'on tient compte de l'utilisation collective de l'eau dans l'arrosage des rues et des espaces verts et dans les services incendies. Une gestion maîtrisée des ressources impose une réduction des pertes inutiles, compensant une demande toujours croissante. L'entretien des réseaux de distribution, la mise en place de certains dispositifs (boutons-poussoirs, par exemple) et la modification des pratiques permettent de limiter le gaspillage, estimé à 40 % de l'eau utilisée.

Le coût en eau de quelques activités domestiques	
Toilette	quelques litres d'eau
Douche	de 25 à 100 litres
Bain	200 litres
Brossage de dents	un verre d'eau ou quelques litres !

■ Les usages industriels

Du fait de ses propriétés physico-chimiques particulières (pouvoir de dissolution, capacité calorifique…), l'eau est utilisée dans la plupart des activités industrielles. Elle sert, par exemple, de composant de dilution dans certaines industries. Elle peut intervenir comme agent de nettoyage ou de lavage de produits ou de machines. Elle constitue souvent un moyen de refroidissement, en particulier dans certaines usines métallurgiques ou dans les centrales thermiques et nucléaires. L'eau est également le vecteur d'élimination de certains déchets industriels.

D'autres usages sont liés à l'industrie, sans être directement consommateurs : l'eau peut ainsi constituer une source d'énergie mécanique (moulins, centrales hydroélectriques) ou thermique (exploitation des nappes d'eau souterraines profondes par géothermie). Elle représente aussi un moyen de transport (canaux, fleuves navigables).

Le coût en eau de quelques produits industriels	
1 kg de sucre	5 L d'eau
1 kg de pâte à papier	40 L d'eau
1 kg de savon	50 L d'eau
1 kg d'engrais	85 L d'eau
1 tonne de pétrole brut raffiné	4 500 L d'eau
1 automobile	35 000 L d'eau

Le développement de circuits de recyclage et les progrès des techniques ont permis, en France, une réduction importante des prélèvements industriels. Les prélèvements pour le refroidissement des centrales thermiques et nucléaires, qui représentaient de loin les volumes les plus importants, sont aujourd'hui beaucoup plus réduits du fait du remplacement des centrales thermiques à circuit ouvert par les centrales nucléaires.

■ Les usages agricoles

L'eau est utilisée dans l'irrigation et l'arrosage. La maîtrise de l'eau s'appuie aujourd'hui sur des techniques plus performantes d'arrosage (au goutte à goutte), de drainage ou de rétention de l'eau.

LES MILIEUX DE VIE
L'ATMOSPHÈRE
LES EAUX
FLORE ET FAUNE
LES RISQUES
LES ÉVOLUTIONS

L'approvisionnement en eau douce

> L'eau douce est une richesse précieuse mais bien mal partagée. De vastes régions du globe connaissent des problèmes quantitatifs et qualitatifs d'approvisionnement en eau.

Les problèmes liés à l'eau

☐ Les problèmes liés à l'eau peuvent être de nature quantitative : de nombreuses régions, notamment arides et semi-arides, sont affectées par des pénuries chroniques, lorsque les besoins sont supérieurs aux ressources exploitables, ou temporaires, en cas de sécheresse anormalement accentuée ; d'autres régions, au contraire, sont frappées par des inondations dévastatrices, posant des graves problèmes de sécurité.

☐ À ces difficultés peuvent s'ajouter des problèmes qualitatifs. De nombreuses zones du globe sont le siège de pollutions de natures diverses, qui restreignent les ressources en eau potable. Par ailleurs, l'eau intervient dans la propagation de quelques maladies qui frappent durement certaines régions du globe. Enfin, par son action érosive, elle peut également modifier les sols de manière importante.

Des prélèvements très variables

La consommation mondiale de l'eau a été multipliée par plus de trois en trente ans. Les prélèvements par habitant et par an (compte tenu de l'ensemble des usages de l'eau) sont toutefois très variables d'un pays à un autre. Les prélèvements sont importants dans les pays où l'irrigation est particulièrement développée, surtout s'il s'agit de pays industrialisés comme les États-Unis (2 000 m^3/hab./an). Les demandes sont moins fortes dans les pays industrialisés à irrigation modérée comme la France (environ 700 m^3/hab./an) ou l'Allemagne. Les prélèvements les plus faibles s'observent dans les pays des zones arides, où ils sont limités par les ressources, et dans certains pays pourtant bien approvisionnés en eau mais encore en voie de développement (Afrique tropicale humide). Un Ghanéen consomme ainsi 70 fois moins d'eau qu'un Européen.

L'eau, un enjeu conflictuel

De tout temps, le partage de l'eau a été source de conflits. La construction de grands barrages ou l'exploitation de nappes souterraines ont généré et entretiennent encore de nombreuses tensions internationales. Ainsi, le barrage de Farakka, qui détourne les eaux du Gange vers Calcutta, en Inde, au détriment du Bangladesh, est source de tensions entre les deux pays. Mais c'est surtout au Moyen-Orient que l'approvisionnement en eau apparaît comme un enjeu politique majeur : l'aménagement de l'Euphrate par des barrages oppose la Turquie à l'Irak, alors que l'aménagement éventuel du Haut-Nil par l'Éthiopie est porteur de désaccords futurs avec l'Égypte. Enfin, l'exploitation du Jourdain en Cisjordanie, contrôlée depuis 1967 par Israël, et les réglementations imposées aux Palestiniens quant à l'exploitation des nappes d'eau souterraine sont des facteurs majeurs de l'évolution politique de la région.

DES RESSOURCES INÉGALES

■ Les disponibilités en eau douce

La disponibilité en eau douce, en parti-culier pour l'agriculture, montre d'un pays à l'autre de profondes variations : les bilans quantitatifs entre, d'une part, précipitations et, d'autre part, évapora-tion et évapotranspiration font apparaître un déficit hydrique sur plus de la moitié des surfaces continentales, soit plus de 75 milliards de km^2, distribuées par exemple au niveau de régions tropicales.

■ L'accès à l'eau potable dans le monde

La disponibilité en eau potable pour l'ali-mentation humaine montre de profondes variations d'un pays à l'autre.

L'eau potable reste une richesse dont l'accès est interdit à 1,2 milliard d'êtres humains (selon l'Organisation mondiale de la santé). Certains pays en développe-ment, pourtant bien alimentés, rencon-trent des problèmes de qualité des eaux.

Bilan des échanges d'eau en surface

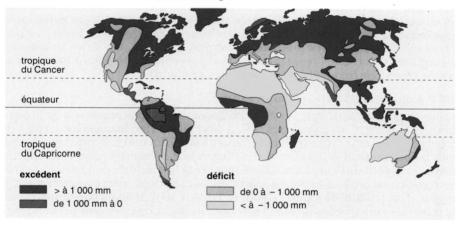

excédent
- > à 1 000 mm
- de 1 000 mm à 0

déficit
- de 0 à − 1 000 mm
- < à − 1 000 mm

Accès à l'eau potable dans le monde

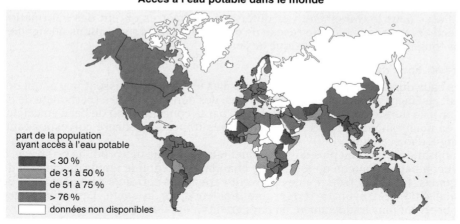

part de la population ayant accès à l'eau potable
- < 30 %
- de 31 à 50 %
- de 51 à 75 %
- > 76 %
- données non disponibles

LES MILIEUX DE VIE

L'ATMOSPHÈRE

LES EAUX

FLORE ET FAUNE

LES RISQUES

LES ÉVOLUTIONS

L'eau potable

Selon l'Organisation mondiale de la santé (OMS), l'eau potable ne doit contenir en quantité dangereuse ni substances chimiques ni microbes pathogènes et être aussi agréable à boire que possible. Des normes de qualité définissent les caractéristiques des eaux de consommation.

■■■■■ Les normes d'une eau potable

Les normes de potabilité utilisées en France ont été édictées par la CEE en 1980. Ces normes fixent 62 paramètres de différents types. Certains paramètres sont dits organoleptiques (c'est-à-dire détectables par les sens humains : couleur, turbidité, odeur et saveur). Les paramètres physico-chimiques définissent les caractères naturels de l'eau (pH, concentration en divers ions ou minéralisation, concentration en oxygène...). D'autres paramètres sont relatifs aux substances indésirables, dangereuses à forte concentration, et aux substances toxiques. Enfin, les paramètres microbiologiques s'intéressent aux êtres vivants, bactéries notamment, susceptibles d'entraîner des troubles. Une surveillance régulière des eaux est assurée grâce à de fréquentes analyses-types de contrôle.

■■■■■ Couleur, turbidité, odeur et saveur

La couleur de l'eau peut être due à des composés humiques provenant de la dégradation de la matière organique des sols, à des métaux (fer, manganèse...) ou à des déchets de différents types (effluents industriels...). En outre, la présence de composés humiques peut provoquer le développement de micro-organismes affectant l'odeur ou le goût de l'eau. La turbidité mesure la quantité de matières en suspension (particules argileuses, vases, particules organiques, micro-organismes...) à l'origine d'un trouble de l'eau. Le goût et l'odeur sont estimés par rapport à une eau minérale choisie comme standard. Les modifications peuvent provenir de la présence de certaines molécules organiques, produites par les micro-organismes (goût de terre ou de moisi) ou de la présence résiduelle de substances chlorées utilisées dans le traitement. Ces différents paramètres offrent des informations précieuses sur la qualité du réseau de distribution. Leurs variations ne signifient pas toujours une pollution toxique de l'eau.

■■■■■ Eaux dures et eaux douces

Les eaux dures sont des eaux dans lesquelles les savons moussent peu et qui donnent aisément, lorsqu'elles sont chauffées, des dépôts de tartre (carbonate de calcium). La dureté de l'eau est ainsi définie par la concentration de l'eau en calcium et en magnésium. Elle est estimée en degrés français, un degré correspondant à 4 mg/L d'ion calcium.

L'utilisation d'une eau plus douce permet une économie des produits de lavage, ne s'accompagne d'aucun dépôt lors du chauffage et réduit le temps de cuisson des légumes. Des eaux trop douces peuvent cependant entraîner une corrosion des canalisations et avoir, à terme, une incidence sur la santé. Les eaux douces s'observent plus fréquemment en pays granitiques, alors que les eaux dures caractérisent les pays calcaires.

LES NORMES DE QUALITÉ D'UNE EAU POTABLE

■ Normes selon la directive européenne du 15/7/1980

Paramètres organoleptiques		Substances indésirables	
Couleur		Nitrates (mg/L)	50
Turbidité		Nitrites (mg/L)	0,1
Odeur		Ammonium (mg/L)	0,5
Saveur		Azote Kjeldahl (mg/L)	1
		Oxydabilité (mg/L O_2)	5
		Fer (mg/L)	0,2
Paramètres physico-chimiques		Manganèse (mg/L)	0,05
		Cuivre (mg/L)	0,1
pH	de 6,5 à 8,5	Zinc (mg/L)	0,1
Conductivité (µs/cm)	400	Baryum (mg/L)	0,1
Chlorures (mg/L)	200	Argent (mg/L)	0,01
Sulfates (mg/L)	250	SEC (mg/L)	0,1
Calcium (mg/L)	100	Hydrocarbure (mg/L)	0,01
Magnésium (mg/L)	50	Phénols (mg/L)	0,005
Sodium (mg/L)	175	Détergents (mg/L)	0,2
Potassium (mg/L)	12	Bore (mg/L)	1
Dureté (d ° f)	50	Haloformes (mg/L)	0,001
Aluminium (mg/L)	0,2	Phosphore (mg/L P_2O_5)	5
Résidu sec (mg/L)	1 500	Fluor (mg/L)	1
Oxygène dissous (% sat)	75	MES (mg/L)	absent

Substances toxiques

Arsenic (mg/L)	0,05	Pesticides (mg/L)	0,0005
Cadmium (mg/L)	0,005	HPA (µg/L)	0,002
Cyanure (mg/L)	0,05	Plomb (mg/L)	0,05
Chrome (mg/L)	0,05	Antimoine (mg/L)	0,01
Mercure (mg/L)	0,001	Sélénium (mg/L)	0,01
Nickel (mg/L)	0,05		

Paramètres microbiologiques

Coliformes totaux	0 pour 95 % des analyses
Coliformes thermotolérants	0 par mL
Streptocoques fécaux	0 par 100 mL
Clostridium	< 5 par 100 mL
Staphylocoques pathogènes	0 par 100 mL
Salmonelles	0 par 5 mL
Entérovirus	0 par 10 L

pH : valeur comprise entre 1 et 14 ; mesure l'acidité de l'eau, d'autant plus importante que la valeur est basse.

Conductivité : exprimée en microsiemens par cm. Propriété électrique, elle augmente avec la concentration en ions dissous.

Azote kjeldahl : azote total, sous forme organique et sous forme de composés ammoniacaux.

Oxydabilité : mesure toute les substances susceptibles d'être oxydées.

SEC (substances extractibles au chloroforme) : micropolluants organiques de natures diverses (insecticides chlorés, hydrocarbures, composés phénoliques...).

MES (matières en suspension).

HPA (hydrocarbures aromatiques).

Dureté : concentration de l'eau en calcium et en magnésium, estimée en degrés français (un degré français est égal à 10 mg par litre de carbonate de calcium, $CaCO_3$, ou à 4 mg par litre de calcium Ca^{2+}).

LES MILIEUX DE VIE
L'ATMOSPHÈRE
LES EAUX
FLORE ET FAUNE
LES RISQUES
LES ÉVOLUTIONS

Eau et santé

De très nombreuses maladies, frappant surtout les pays en voie de développement, sont provoquées par des micro-organismes contenus dans l'eau (micro-organismes pathogènes). À ces affections s'ajoutent de multiples maladies liées à des parasites dont le cycle de développement nécessite de l'eau.

Les maladies liées à l'eau

☐ Certaines maladies peuvent être contractées par des eaux de boisson impropres à la consommation ou par des aliments contaminés (légumes arrosés par des eaux bactériologiquement polluées).

☐ L'eau intervient également de manière importante dans le cycle de développement de certains parasites à l'origine de maladies affectant des populations importantes. Ces parasites affectent l'homme, mais leur cycle fait intervenir d'autres hôtes.

Les micro-organismes pathogènes des eaux

L'eau peut contenir des agents pathogènes (virus, bactéries, protozoaires...) susceptibles de contaminer les individus par ingestion (boisson et aliments). Très divers, ces agents pathogènes sont responsables de nombreuses maladies. Les principales sont les maladies diarrhéiques ; certaines sont d'origine virale, d'autres sont provoquées par des bactéries, comme le vibrion cholérique (responsable du choléra) et les salmonelles (certaines étant responsables de la typhoïde) ; d'autres enfin sont liées à des protozoaires, comme les amibes, à l'origine de dysenterie (amibiase intestinale). Ces maladies s'accompagnent d'une perte d'éléments nutritifs qui aggravent l'état de malnutrition dont souffrent déjà souvent les populations exposées. L'importante persistance de ces maladies, aisées à prévenir et, pour la plupart, à traiter, n'est due finalement qu'à une hygiène précaire, résultat d'un état de pauvreté chronique. Une autre maladie liée à l'eau est la poliomyélite, provoquée par un virus (entérovirus).

L'extension des maladies liées à l'eau

Maladies	Agents pathogènes	Extension mondiale
Maladies diarrhéiques	Très divers : virus, bactéries, protozoaires (amibes)	Responsables de la mort de 4 millions d'enfants par an
Poliomyélite	Poliovirus	Frappe 250 000 personnes par an
Maladies parasitaires liées à l'eau		
Paludisme	Protozoaire : *Plasmodium* Hôte intermédiaire : anophèle	Affecte des régions où vivent 500 millions d'individus. Tue 1 million d'enfants par an
Maladie du sommeil	Protozoaire : trypanosome Hôte intermédiaire : glossine	35 millions d'individus exposés 20 000 victimes par an en Afrique
Bilharzioses	Vers plats : schistosomes Hôte intermédiaire : gastéropode aquatique	200 millions d'individus
Onchocercose	Vers ronds : filaires Hôte intermédiaire : simulie	20 millions d'individus atteints En régression

LES MALADIES PARASITAIRES LIÉES À L'EAU

■ Eau et cycle de développement

L'eau peut intervenir de différentes manières dans le cycle de développement de certains parasites.

L'eau peut jouer un rôle indirect dans la transmission du parasite en abritant les autres hôtes (ou vecteurs) de son cycle : ceux-ci sont, selon les cas, des animaux aquatiques, comme des gastéropodes d'eaux douces (impliqués, par exemple, dans la transmission de certains vers) ou des animaux aériens, dont la reproduction nécessite de l'eau (par exemple, transmission du paludisme par un moustique, l'anophèle, dont la larve est aquatique). La destruction de certains milieux aquatiques limite l'extension des hôtes des parasites et, par conséquent, l'aire de la maladie.

L'eau peut jouer un rôle plus direct, comme milieu de vie du parasite à certains stades de son développement. Les milieux aquatiques peuvent ainsi abriter des larves des parasites capables, pour certaines espèces, d'infester l'homme, par exemple lors de baignades.

■ Le paludisme

L'une des principales maladies parasitaires est le paludisme (appelé parfois malaria) provoqué par des protozoaires du genre *Plasmodium*. Le parasite se développe dans les globules rouges de l'homme, où il se nourrit d'hémoglobine. L'éclatement périodique des globules rouges, qui accompagne la libération de nouveaux parasites dans le plasma, provoque des accès périodiques de fièvre et entraîne l'anémie des sujets atteints. Le parasite est introduit dans l'organisme humain par piqûre de l'anophèle contaminé, insecte appartenant au même groupe que le moustique. La reproduction de l'anophèle se fait par des larves aquatiques, se développant dans des eaux stagnantes. En l'absence actuelle de vaccin, la lutte contre le paludisme repose sur l'ingestion d'antipaludéens (nivaquine, paludrine...) et sur la destruction des gîtes à anophèles (assèchement des zones marécageuses insalubres...).

■ La maladie du sommeil

La maladie du sommeil est due à un protozoaire parasite du genre trypanosome, transmis à l'homme par une mouche, la glossine ou mouche tsé-tsé. La maladie s'accompagne de troubles nerveux et provoque un affaiblissement général pouvant conduire à la mort. La destruction des larves de glossines, déposées le long des rivières, est un aspect de la lutte contre la maladie.

■ Bilharzioses et onchocercose

Les bilharzioses, dues à des vers parasites (les schistosomes) se développant dans le système veineux de l'homme, affaiblissent de manière considérable les individus. Le cycle fait intervenir des gastéropodes aquatiques qui libèrent des larves nageuses, perforant de manière active la peau de l'homme lorsqu'il se baigne.

L'onchocercose est une maladie affectant la peau et les yeux (deuxième cause de cécité dans le monde) ; elle est provoquée par des vers parasites du genre filaire. La contamination se fait par l'intermédiaire de moustiques, les simulies, dont les larves sont aquatiques.

De nombreuses autres filaires peuvent parasiter l'homme : certaines, comme la filaire de Médine, qui se développe sous la peau, ont pour vecteurs des crustacés microscopiques ingérés dans l'eau de boisson.

LES MILIEUX DE VIE
L'ATMOSPHÈRE
LES EAUX
FLORE ET FAUNE
LES RISQUES
LES ÉVOLUTIONS

La qualité des eaux douces de surface

Les eaux de surface (rivières, lacs…) peuvent avoir différents usages en relation avec leur qualité. Un ensemble de paramètres définit cinq classes de qualité.

■ Les paramètres de qualité

☐ Les activités humaines utilisent l'eau pour de multiples usages, tels l'alimentation en eau potable, l'irrigation, les industries ou les loisirs. Ces utilisations requièrent des qualités parfois différentes et qui sont appréciées par un ensemble de paramètres qui permettent de définir cinq classes de qualité.

☐ La concentration en oxygène dissous est un paramètre important, l'oxygène étant nécessaire à la respiration des êtres vivants et à l'épuration naturelle.

☐ La DBO5 (demande biologique en oxygène à 5 jours) et la DCO (demande chimique en oxygène) sont des paramètres qui mesurent la quantité de matière organique contenue dans l'eau. Cette quantité est estimée de manière indirecte, en mesurant la quantité d'oxygène nécessaire pour dégrader la matière organique présente, soit par voie biologique soit par voie chimique.

■ Les différentes classes de qualité et l'usage des eaux

Qualité décroissante	Excellente	Bonne	Passable	Médiocre	Pollution
Classes de qualité	1 A	1 B	2	3	4
Température (°C)	< 20	de 20 à 22	de 22 à 25	de 25 à 30	> 30
pH	6,5-8,5	6,5-8,5	6,5-8,5	5,5-9,5	≤5,5 ou ≥9,5
O_2 dissous mg.L^{-1} (% saturation)	≥7 (≥ 90 %)	5 à 7 (de 70 à 90 %)	3 à 5 (de 50 à 70 %)	<3 (<50 %)	
Mat. en suspension mg.L^{-1}		≤ 30		de 30 à 70	> 70
DBO_5 eau brute mg O_2.L^{-1}	≤ 3	de 3 à 5	de 5 à 10	de 10 à 25	> 25
DCO eau brute mg O_2.L^{-1}	≤ 20	de 20 à 25	de 25 à 40	de 40 à 80	> 80
Nitrates NO_3^- mg.L^{-1}		≤ 44		de 44 à 100	> 100
Ammonium NH_4^+ mg.L^{-1}	≤ 0,1	de 0,1 à 0,5	de 0,5 à 2	de 2 à 8	> 8
Fer total mg.L^{-1}	≤ 0,5	de 0,5 à 1	de 1 à 1,5	> 1,5	
Bactéries coliformes/10 mL		< 5 000			
Eau potable		traitement simple	traitement poussé		Aucun usage possible sauf navigation
Loisirs		b a i g n a d e	contact exceptionnel avec l'eau		Aucun usage possible sauf navigation
Poissons		reproduction aléatoire		survie aléatoire	Aucun usage possible sauf navigation
Abreuvage des animaux		tolérable			Aucun usage possible sauf navigation
Irrigation				tolérable	Aucun usage possible sauf navigation
Industries	industries alimentaires		eaux industrielles	eaux de refroidissement	Aucun usage possible sauf navigation

LA QUALITÉ DES COURS D'EAU FRANÇAIS

■ La surveillance des cours d'eau

En France, des réseaux de surveillance exercent un contrôle régulier et permanent de la qualité des eaux, conformément à la loi du 16 décembre 1964. Les teneurs en oxygène, en matières organiques, en matières minérales, en substances toxiques et en micro-organismes sont mesurées et déterminent la classe de qualité de l'eau analysée. Depuis 1971, les résultats sont publiés régulièrement par le ministère de l'Environnement. En 1978, celui-ci a imposé aux départements la définition d'objectifs de qualité à atteindre pour améliorer l'état des cours d'eau. Le dispositif de surveillance a été renforcé en 1987.

■ Des cours d'eau de qualités différentes

Cette carte est dressée par les six Agences de bassin, organismes participant à la gestion de l'eau des différents bassins hydrographiques français. Actuellement, une rivière sur trois possède une eau de bonne qualité, mais 15 % des cours d'eau ont une eau quasiment inutilisable.

Les cours d'eau français

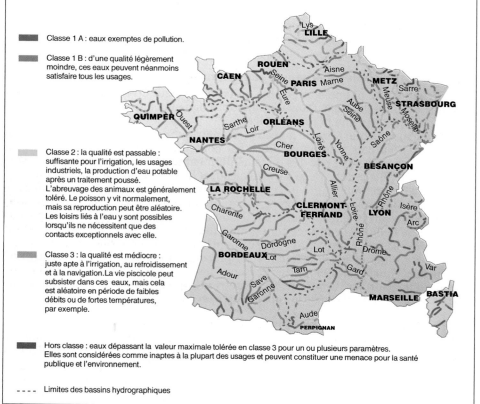

Classe 1 A : eaux exemptes de pollution.

Classe 1 B : d'une qualité légèrement moindre, ces eaux peuvent néanmoins satisfaire tous les usages.

Classe 2 : la qualité est passable : suffisante pour l'irrigation, les usages industriels, la production d'eau potable après un traitement poussé. L'abreuvage des animaux est généralement toléré. Le poisson y vit normalement, mais sa reproduction peut être aléatoire. Les loisirs liés à l'eau y sont possibles lorsqu'ils ne nécessitent que des contacts exceptionnels avec elle.

Classe 3 : la qualité est médiocre : juste apte à l'irrigation, au refroidissement et à la navigation.La vie piscicole peut subsister dans ces eaux, mais cela est aléatoire en période de faibles débits ou de fortes températures, par exemple.

Hors classe : eaux dépassant la valeur maximale tolérée en classe 3 pour un ou plusieurs paramètres. Elles sont considérées comme inaptes à la plupart des usages et peuvent constituer une menace pour la santé publique et l'environnement.

- - - - Limites des bassins hydrographiques

LES MILIEUX DE VIE
L'ATMOSPHÈRE
LES EAUX
FLORE ET FAUNE
LES RISQUES
LES ÉVOLUTIONS

Les gisements d'eau souterraine

> En France, plus de 60 % des eaux à usage domestique proviennent de gisements souterrains dont les eaux sont généralement de meilleure qualité que les eaux de surface.

▬▬▬ Les nappes d'eau souterraine

☐ Les eaux qui s'infiltrent dans le sous-sol peuvent être arrêtées dans leur progression vers le bas par des niveaux imperméables et s'accumuler dans des niveaux perméables. Une nappe d'eau souterraine est l'eau contenue dans les pores ou les fissures d'une formation géologique perméable. Celle-ci, lorsqu'elle renferme une nappe d'eau, est appelée aquifère.

☐ Les aquifères peuvent être constitués par des formations sableuses, perméables à l'échelle de l'échantillon, où l'eau est contenue et circule dans les pores séparant les grains de sable. Ils peuvent aussi correspondre à des roches non perméables à l'échelle de l'échantillon, comme de nombreux calcaires, mais perméables à l'échelle de la couche, du fait des nombreuses fractures qui les affectent et dans lesquelles circule l'eau de la nappe.

☐ L'hydrogéologie est la partie de la géologie relative à l'étude des eaux souterraines (recherche des nappes, étude de la circulation des eaux…).

▬▬▬ La cartographie des nappes souterraines

☐ Le niveau d'une nappe souterraine en un point peut être estimé en mesurant l'altitude atteinte par l'eau dans un puits foré dans la nappe. Cette altitude est le niveau piézométrique au point considéré.

☐ Dans une nappe dite libre, le niveau piézométrique correspond au sommet de la zone saturée en eau. Une nappe libre est contenue dans un aquifère qui n'est séparé de la surface que par des terrains perméables. La nappe phréatique est la nappe libre la plus proche de la surface du sol et la plus exploitée par les puits.

☐ Dans une nappe dite captive, l'eau peut monter dans le forage à une altitude supérieure au sommet de l'aquifère, ce qui montre que l'eau y est stockée sous pression et le sature entièrement. L'altitude que peut atteindre l'eau est parfois supérieure à celle de la surface topographique : le puits est jaillissant ; il est dit puits artésien. Une nappe captive est surmontée d'un toit imperméable.

☐ Tous les points ayant le même niveau piézométrique peuvent être reliés : on obtient une courbe dite isopièze. Les courbes isopièzes sont les « courbes de niveau » d'une surface, la surface piézométrique, qui représente, pour une nappe libre, la surface supérieure de la zone saturée en eau.

▬▬▬ Les nappes profondes et leur utilisation

Certaines nappes d'eau situées en profondeur contiennent des eaux trop minéralisées et, par suite, impropres à tous les usages de l'eau. Elles présentent cependant l'avantage d'être chaudes, en raison de l'augmentation de température avec la profondeur (en moyenne, 30 °C par kilomètre). Ces eaux chaudes sont utilisées en géothermie, leur chaleur étant récupérée, pour le chauffage urbain par exemple.

■ L'eau dans le sous-sol

Les eaux d'infiltration assurent l'essentiel de l'alimentation des nappes, du moins pour les plus superficielles. L'infiltration se poursuit jusqu'à la rencontre avec un niveau imperméable. L'écoulement des eaux au sein de la nappe se fait des points hauts de la surface piézométrique vers les points les plus bas. La circulation des eaux est à l'origine de sources, généralement situées au sommet d'un niveau imperméable. Dans certains cas, l'écoulement des nappes peut alimenter les rivières.

La dynamique des nappes d'eau souterraine

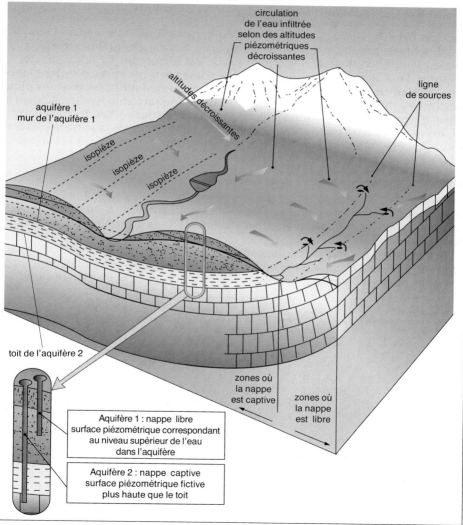

circulation
de l'eau infiltrée
selon des altitudes
piézométriques
décroissantes

ligne
de sources

altitudes décroissantes

aquifère 1
mur de l'aquifère 1

isopièze

isopièze

isopièze

toit de l'aquifère 2

zones où
la nappe
est captive

zones où
la nappe
est libre

Aquifère 1 : nappe libre
surface piézométrique correspondant
au niveau supérieur de l'eau
dans l'aquifère

Aquifère 2 : nappe captive
surface piézométrique fictive
plus haute que le toit

LES MILIEUX DE VIE

L'ATMOSPHÈRE

LES EAUX

FLORE ET FAUNE

LES RISQUES

LES ÉVOLUTIONS

La gestion des gisements souterrains

De nombreuses régions sont aujourd'hui confrontées à des problèmes d'approvisionnement en eau. La maîtrise des ressources impose une gestion à la fois quantitative et qualitative.

La gestion quantitative des ressources

☐ La gestion d'une nappe doit conduire à l'équilibre entre prélèvement et renouvellement.

L'apport principal est assuré par les précipitations. Toutefois, celles-ci sont loin de parvenir en totalité aux nappes : une partie de l'eau ruisselle en surface, une partie est retenue dans le sol et une partie est absorbée par les végétaux. La recharge d'une nappe n'est donc le fait que d'une partie des précipitations, appelée « pluie efficace ». Ces précipitations efficaces sont, pour l'essentiel, les pluies d'automne et d'hiver. Les pluies d'été ne réalisent qu'un faible renouvellement en raison d'une évapotranspiration importante au niveau des sols et des végétaux.

☐ L'exploitation d'un puits entraîne une dépression locale de la surface piézométrique, appelée rabattement. Une augmentation importante de celui-ci signale le débit de pompage maximal qu'il ne faut pas dépasser.

La gestion qualitative des ressources

☐ Il convient de préserver les nappes des venues polluantes en limitant autant que possible les rejets d'eau polluées. Ces venues polluantes peuvent résulter d'infiltrations au niveau des sols, mais aussi d'alimentations possibles des nappes par l'eau des rivières.

☐ La dépression provoquée par un captage modifie localement la circulation de la nappe et conduit à définir un périmètre de protection autour du puits pour écarter des infiltrations polluantes.

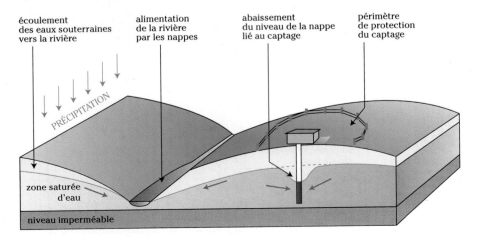

écoulement des eaux souterraines vers la rivière

alimentation de la rivière par les nappes

abaissement du niveau de la nappe lié au captage

périmètre de protection du captage

PRÉCIPITATION

zone saturée d'eau

niveau imperméable

LA VULNÉRABILITÉ À LA POLLUTION

La vulnérabilité des nappes aux pollutions dépend de la nature géologique du réservoir. Celle-ci détermine la vitesse de circulation de l'eau, rapide dans les aquifères calcaires très fissurés, plus lente dans les aquifères sableux, et, par suite, la vitesse d'apparition d'une pollution éventuelle et son temps de séjour dans l'aquifère, d'autant plus long que le renouvellement est lent. Les cartes de vulnérabilité à la pollution, dressées par le Bureau des recherches géologiques et minières (BRGM), ont pour objet de collecter les informations nécessaires à une sauvegarde efficace de la qualité des eaux. Elles indiquent l'aptitude des terrains à se laisser pénétrer ou traverser par les pollutions.

Carte de vulnérabilité des eaux souterraines (Poligny, Jura, 1/50 000)

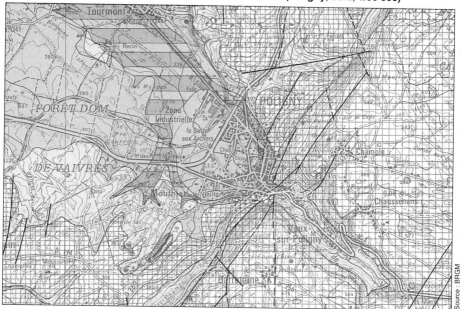

Source : BRGM

Aquifères potentiellement très productifs à productifs

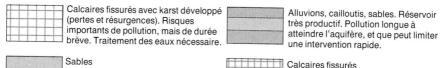

Calcaires fissurés avec karst développé (pertes et résurgences). Risques importants de pollution, mais de durée brève. Traitement des eaux nécessaire.

Alluvions, cailloutis, sables. Réservoir très productif. Pollution longue à atteindre l'aquifère, et que peut limiter une intervention rapide.

Sables

Calcaires fissurés

Formations peu aquifères

Marnes et argiles ; circulation des eaux difficile ; peu vulnérables aux pollutions, limitées à la surface.

LES MILIEUX DE VIE

L'ATMOSPHÈRE

LES EAUX

FLORE ET FAUNE

LES RISQUES

LES ÉVOLUTIONS

La pollution des eaux

> La pollution est une altération de la qualité de l'eau. Le rejet des eaux domestiques et les différentes activités humaines, industrielles et agricoles, sont les principales sources de pollution des eaux de surface. Celle-ci atteint des niveaux parfois préoccupants, avec des polluants de natures très diverses.

■■■■ Les différents types de pollution

☐ La plupart des pollutions sont de nature chimique, avec différents types de rejets : les polluants sont fréquemment des molécules organiques. Celles-ci sont pour l'essentiel biodégradables, mais leur disparition nécessite de l'oxygène, qui diminue alors dans les milieux aquatiques. Il peut aussi s'agir de substances minérales, comme les nitrates, qui deviennent polluants lorsque leur concentration augmente, ou comme les métaux lourds.

☐ Les pollutions peuvent aussi être de nature physique : certaines activités modifient la température ou la transparence de l'eau, d'autres correspondent à des rejets radioactifs. Enfin, il existe des pollutions bactériologiques marquées par le développement de bactéries, de virus, de champignons ou d'algues.

■■■■ La diversité des polluants

☐ Cette diversité apparaît particulièrement dans les effluents industriels. Ceux-ci contiennent de multiples constituants, qui varient selon les industries.

Polluants susceptibles d'être contenus dans les effluents de certaines industries

Abattoirs, laiteries, sucreries	Forte concentration en matières organiques dissoutes et en suspension (protéines, graisses, sucres…)
Industries textiles	Présence de solvants, colorants, sulfures, graisses
Industries papetières	Matières organiques abondantes dissoutes et en suspension : lignine, fibres, sulfures, sulfites, sels de mercure, produits phénoliques
Industries chimiques et de synthèse	Métaux lourds : mercure (peintures, pharmacie…), arsenic (métallurgie, tannerie, verres…), cadmium (batteries, colorants, photographie…), chrome (galvanoplastie, photographie…)
Raffineries, pétrochimie	Hydrocarbures, sulfures

☐ Outre les pollutions chimiques, certaines industries engendrent des pollutions physiques ; par exemple, les mines rejettent des particules en suspension.

Des efforts considérables ont toutefois été faits pour réduire de manière importante les rejets. En France, les pollutions organiques d'origine industrielle sont désormais inférieures à celles des collectivités. Cette réduction est liée à la mise en place de techniques de détoxification des effluents et de recyclage des eaux. Le Rhin charriait ainsi plus de 4 000 tonnes de métaux lourds par an et plus de 7 000 tonnes d'hydrocarbures avant que des efforts considérables ne permettent un début notable d'assainissement : les métaux lourds ont ainsi diminué de 90 % depuis les années 70 !

LES ANIMAUX AQUATIQUES, INDICATEURS DE POLLUTION

■ L'intérêt des indicateurs biologiques

Une pollution peut être détectée par l'analyse physico-chimique de l'eau. Mais les substances polluantes ne sont parfois déversées que par intermittence, ou sont en quantité trop faible pour être aisément décelables.

Une autre approche est fondée sur l'analyse d'inventaires zoologiques, une pollution s'accompagnant le plus souvent de modifications faunistiques : raréfaction, disparition de certaines espèces remplacées par d'autres qui prolifèrent. On recherche donc particu-lièrement dans les prélèvements certains organismes dont on connaît la sensibilité à la pollution. Cette méthode conduit à la définition de l'indice biotique. Celui-ci est une valeur comprise entre 0 et 10, attribuée à l'eau d'une rivière en fonction de la nature et du nombre d'espèces échantillonnées à la fois par filtration de l'eau et par prélèvement des alluvions. Il est également possible d'étudier en laboratoire les conséquences des pollutions sur certains animaux constituant des indicateurs biologiques fiables (par exemple, les truites).

Des organismes de sensibilités différentes

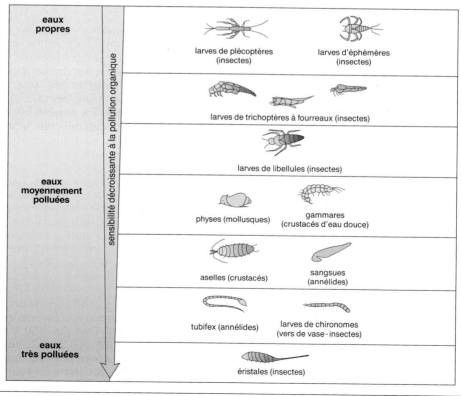

eaux propres

sensibilité décroissante à la pollution organique

larves de plécoptères (insectes)

larves d'éphémères (insectes)

larves de trichoptères à fourreaux (insectes)

larves de libellules (insectes)

eaux moyennement polluées

physes (mollusques)

gammares (crustacés d'eau douce)

aselles (crustacés)

sangsues (annélides)

tubifex (annélides)

larves de chironomes (vers de vase-insectes)

eaux très polluées

éristales (insectes)

LES MILIEUX DE VIE

L'ATMOSPHÈRE

LES EAUX

FLORE ET FAUNE

LES RISQUES

LES ÉVOLUTIONS

Les pollutions agricoles

> Les sources de pollution agricole sont de deux types : d'une part, les engrais et les produits phytosanitaires comme les pesticides, utilisés de manière importante dans certaines pratiques agricoles intensives ; d'autre part, les effluents des élevages riches en composés azotés.

L'utilisation d'engrais

Les engrais les plus utilisés enrichissent le sol en nitrates et en phosphates. En 1990, la France a utilisé 2,5 millions de tonnes d'engrais azotés, soit cinq fois plus qu'il y a trente ans ! Une partie des nitrates est absorbée par les végétaux, ce qui améliore leur croissance et les rendements. Mais une autre partie est lessivée par les précipitations, pénètre dans le sol à une vitesse de quelques mètres par an et finit par gagner cours d'eau et nappes, où la concentration en nitrates s'accroît. Les engrais phosphatés seraient à l'origine de 10 à 20 % des phosphates rejetés, le reste provenant des usages domestiques (de 50 à 60 % étant issus des lessives) et industriels (de 30 à 40 %).

Les pesticides

☐ Les pesticides sont définis comme des substances destinées à « protéger les végétaux contre tous les organismes nuisibles ou à prévenir leur action et à détruire les végétaux indésirables ». Ils comprennent les herbicides (contre les mauvaises herbes), les fongicides (contre les champignons), les nématicides (contre les vers), les acaricides (contre les acariens), les insecticides, soit, en France, plus de 900 substances actives pour plus de 2 600 usages différents. L'utilisation de ces produits s'est considérablement accrue depuis les années 60, et, avec 100 000 tonnes par an, la France en est actuellement le deuxième consommateur mondial, derrière les États-Unis. Du fait de leur toxicité, certains produits organochlorés comme le DDT (insecticide) sont interdits depuis 1972.

☐ Parmi les produits utilisés, on peut citer le lindane (insecticide), l'atrazine (désherbant du maïs) et la simazine (herbicide). La norme européenne est fixée, pour l'ensemble des pesticides, à 0,5 microgramme par litre. Des analyses récentes dans le bassin Loire-Bretagne montrent que la norme européenne est dépassée dans de nombreux cas. Cela rend nécessaire les restrictions d'emploi (aujourd'hui de l'ordre de 1,5 kg à l'hectare pour les trois produits cités) et impose une surveillance de plus en plus stricte. Les recherches actuelles tentent d'estimer l'impact biologique sur différents organismes (mousses, moules ou poissons).

La pollution liée aux élevages

Les élevages producteurs de lisier (urine et matières fécales) sont des sources majeures de pollution azotée : un porc de 100 kg (moins de 6 mois) élimine environ 1 m^3 de lisier par an, soit 5,5 kg d'azote. Le cheptel porcin de la Bretagne (50 % du cheptel français) comprend aujourd'hui 5,9 millions de têtes (500 000 il y a 25 ans). L'ensemble des élevages (bovin, aviaire...) produit chaque année près de 8 millions de m^3 de lisier. Lors de l'épandage du lisier, une part importante de l'azote est drainée par les cours d'eau ou gagne les nappes.

LES NITRATES ET LEURS DANGERS

■ L'origine des nitrates

Une partie des nitrates (NO_3^-) est d'origine industrielle et domestique. L'azote rejeté sous forme organique dans les effluents domestiques n'est pas entièrement éliminé par les systèmes d'épuration, et rejoint les cours d'eau sous forme de nitrates. Une part importante de la pollution (parfois chiffrée entre 50 et 60 %) provient des activités agricoles (utilisation d'engrais et production de lisier).

■ La toxicité des nitrates

Les nitrates ne peuvent généralement présenter un risque sanitaire que pour les femmes enceintes ou les nourrissons, pour lesquels il est conseillé de ne pas dépasser des concentrations de 25 mg/L, alors que la norme européenne de potabilité est de 50 mg/L. Dans le tube digestif, les nitrates peuvent être réduits en nitrites par des bactéries, qui prolifèrent plus aisément chez les nourrissons du fait d'une moindre acidité de l'estomac. Les nitrites sont susceptibles de se combiner avec l'hémoglobine du sang, qui devient inapte à transporter l'oxygène, ce qui détermine la maladie bleue ou cyanose du nourrisson (mauvaise oxygénation dont l'un des symptômes est le bleuissement de certaines parties du corps : lèvres, oreilles...). Du fait d'une plus grande capacité sanguine et d'une moindre sensibilité intestinale, les enfants et les adultes supportent des concentrations plus élevées. Des fortes teneurs (500 mg/L) provoquent parfois des inflammations des muqueuses intestinales. Dans l'estomac, les nitrites peuvent se combiner avec d'autres composés azotés (les amines) pour former des nitrosamines. Leur effet cancérigène est reconnu chez certains animaux. Mais le nombre de paramètres susceptibles d'intervenir sur le développement des cancers de l'estomac n'a pas permis d'établir réellement leur impact chez l'homme.

■ L'évolution de la concentration des eaux potables

Le suivi de la composition des eaux de surface montre une augmentation globale de leur concentration en nitrates, au point que des problèmes de plus en plus nombreux se posent pour la fourniture d'eau potable. Les analyses d'eau montrent en effet que la proportion de points de mesure où la concentration en nitrates est très faible est en diminution, ce qui révèle une augmentation globale des teneurs. En 1987, la concentration en nitrates avait au moins dépassé une fois dans l'année la norme européenne de 50 mg/L dans les foyers de plus de 1 700 000 Français.

Outre les rejets accrus de composés azotés, le remplacement des prairies par des cultures et la suppression des zones marécageuses ou des forêts bordant les rivières, où se produisait une élimination importante des nitrates par des bactéries, sont d'autres pratiques qui expliquent l'enrichissement en azote des rivières.

Les mesures effectuées sur les eaux souterraines attestent d'une aggravation de la situation et d'une atteinte progressive des nappes (comme la nappe alluviale d'Alsace) telles qu'elles se poursuivraient encore même en l'absence de nouveaux apports.

Le lessivage des nitrates vers les nappes peut être réduit par le développement de certaines pratiques agricoles, comme la mise en place de cultures hivernales ou le fractionnement des apports d'engrais.

LES MILIEUX DE VIE
L'ATMOSPHÈRE
LES EAUX
FLORE ET FAUNE
LES RISQUES
LES ÉVOLUTIONS

Les pollutions littorales

Sur les zones littorales se concentrent de nombreuses activités industrielles, portuaires et touristiques. La densité de population peut y atteindre, surtout en période estivale, des valeurs très élevées. Par ailleurs, ces zones reçoivent les effluents pollués des fleuves. Elles constituent donc des zones très sensibles.

Les polluants littoraux

Les différents types de polluants sont analogues à ceux observés dans les autres milieux aquatiques. Leur toxicité est très variable selon leur nature, leur comportement dans l'eau et l'agitation du milieu marin, les effets étant toujours plus importants dans les zones confinées. Certains polluants sont dilués par l'eau de mer, ce qui conduit à des concentrations très faibles mais n'interdit toutefois pas des accumulations ultérieures dans des organismes animaux ou végétaux. D'autres polluants se fixent sur les particules fines en suspension et se trouvent retenus dans les sédiments : une zone vaseuse a ainsi davantage de risques d'être polluée qu'une zone sableuse. Les sédiments sont, pour cette raison, de bons indicateurs de pollution, qu'ils peuvent enregistrer.

Pollutions et santé publique

☐ Redoutés pour leur impact sur la santé publique, les agents pathogènes proviennent des eaux usées issues du continent du fait de réseaux d'assainissement déficients (ou absents comme, par exemple, en 1992, dans 70 % des grandes villes côtières de la Méditerranée : Athènes, Alger…), de stations d'épuration surchargées, en raison notamment d'une surpopulation estivale, d'épandage de lisiers dans des régions d'élevage.

☐ Les principaux agents pathogènes sont des bactéries parmi lesquelles les coliformes (colibacilles de type *Escherichia coli*) et les streptocoques fécaux. Elles peuvent être responsables de diarrhées du nourrisson ou provoquer, pour certaines souches, des infections génito-urinaires chez l'adulte. Les salmonelles sont d'autres bactéries, plus dangereuses, et à l'origine, selon les souches, de fièvres paratyphoïdes ou de gastro-entérites parfois graves (salmonelloses).

☐ La survie des micro-organismes est très variable, la disparition de 90 % des bactéries pouvant demander de quelques heures à quelques jours. Certains peuvent être accumulés par des coquillages filtreurs d'eau (moules, huîtres…) qui deviennent alors toxiques, notamment lorsqu'ils sont consommés crus ou peu cuits ; les entérovirus, mais aussi le virus de l'hépatite A, contenu dans les eaux usées, peuvent ainsi être transmis par consommation de certains fruits de mer.

Les marées d'algues

Les apports excessifs d'éléments nutritifs (nitrates, phosphates) par les eaux usées peuvent enrichir les eaux littorales, provoquant une prolifération des algues (eutrophisation). Celles-ci sont parfois des algues microscopiques planctoniques qui colorent les eaux en rouge (marées rouges) ou en brun et peuvent produire des toxines dangereuses. Il peut s'agir aussi d'algues de grande taille, comme les ulves (ou salades de mer), qui s'échouent par milliers de tonnes sur les plages.

BAIGNADES ET PLAGES

■ Surveillance des plages et des eaux de baignade

En France, la surveillance a été mise en place en 1976, après la publication de normes de qualité européennes. Les prélèvements sont effectués à plusieurs reprises (en principe, fréquence hebdomadaire) sur un ensemble de sites, fournissant plus de 20 000 analyses réalisées dans les laboratoires agréés par le ministère de la Santé, sous le contrôle de la Direction départementale de l'action sanitaire et sociale (Ddass). Les zones de baignade ayant fait l'objet d'au moins dix prélèvements sont classées dans une catégorie de qualité. Les résultats sont publiés chaque année.

Les risques encourus lors des baignades sont principalement des atteintes de la peau et des muqueuses. Les troubles intestinaux n'apparaissent qu'au-delà d'une certaine concentration de micro-organismes. Des troubles oto-rhino-laryngologiques peuvent également se développer.

■ L'état des plages

Ainsi, en 1995, plus de 3 500 zones de baignade ont fait l'objet de surveillance et d'analyses. Sur les 1 777 points de baignade en eau de mer contrôlés, 106 ont révélé des pollutions momentanées. Une seule plage a présenté des eaux de mauvaise qualité. En eau douce, 29 zones sur 1 640 se sont montré impropres à la baignade.

■ La qualité des eaux de baignade

Les normes de qualité sont basées sur la concentration en micro-organismes témoins de contamination fécale. Des valeurs impératives, à ne pas dépasser, et des valeurs guides, considérées comme satisfaisantes, permettent de définir quatre catégories d'eaux de baignade. Les concentrations impératives en coliformes totaux et fécaux sont respectivement de 10 000 et 2 000 par 100 mL, les concentrations guides étant de 500 et 100 par 100 mL.

Catégorie	Qualité	Caractéristiques
A	Eaux de bonne qualité	95 % des résultats d'analyse sont inférieurs ou égaux aux valeurs impératives. 80 % des résultats sont inférieurs aux valeurs guides.
B	Eaux de qualité moyenne	Les caractéristiques sont identiques pour les valeurs impératives, mais ne respectent pas les valeurs guides.
C	Eaux pouvant être polluées momentanément	La fréquence de dépassement des valeurs impératives est comprise entre 5 et 33,3 %.
D	Eaux de mauvaise qualité	La fréquence de dépassement de l'un au moins des nombres guides est supérieure à 33,3 %. La baignade doit alors être interdite.

Pas-de-Calais
Seine-Maritime
Manche
Côtes-d'Armor
Finistère
Somme
Calvados
Ille-et-Vilaine
Morbihan
Loire-Atlantique
Charente-Maritime
Landes
Pyrénées-Atlantiques
Aude
Bouches-du-Rhône
Var
Alpes-Maritimes
Haute-Corse

■ eaux de mauvaise qualité
• eaux pouvant être momentanément polluées (non conformes)

LES MILIEUX DE VIE

L'ATMOSPHÈRE

LES EAUX

FLORE ET FAUNE

LES RISQUES

LES ÉVOLUTIONS

Le traitement des eaux

Les eaux destinées à la consommation sont puisées dans des réservoirs superficiels (lacs, rivières) ou souterrains (nappes). Pour devenir potables, les eaux de surface nécessitent toujours un traitement préalable, plus simple voire absent pour les eaux souterraines si elles proviennent de nappes bien protégées.

L'élimination des matières en suspension

Réalisé dans des usines, le traitement de l'eau a pour objet de fournir une eau aux normes de potabilité. L'eau pompée dans la rivière subit un prétraitement : les corps flottants et les impuretés sont retenus au passage d'une grille (dégrillage). L'eau subit une première stérilisation, au chlore ou, de plus en plus souvent, à l'ozone, qui est un oxydant puissant, particulièrement efficace contre les virus. Les matières en suspension sont coagulées grâce à des réactifs chimiques. La floculation consiste à agglomérer les particules coagulées en de plus gros flocons, qui peuvent décanter (décantation). Les boues récupérées seront ultérieurement séchées, puis compactées et stockées dans des décharges.

La filtration sur sable

Une eau claire est obtenue par filtration à travers des bassins de sable où des micro-organismes utiles consomment les matières organiques indésirables. La filtration sur sable est une méthode qui reproduit, en les optimisant, les phénomènes naturels d'épuration qui se déroulent lorsqu'une eau circule dans un aquifère sableux. L'eau subit ensuite une nouvelle ozonation, qui achève la purification biologique. Une seconde filtration sur charbon actif permet d'éliminer la quasi-totalité des matières organiques. L'eau, alors potable, est légèrement chlorée, pour garantir le maintien de sa qualité pendant son stockage et sa distribution.

Les traitements récents

Les traitements classiques n'éliminent pas toutes les substances présentes dans l'eau (certains métaux lourds, par exemple). Les nitrates ne sont encore que rarement traités : les premières usines de dénitratation sont apparues en 1986, équipées de cuves de résines synthétiques, échangeant les nitrates contre des chlorures. Les rendements sont toutefois encore faibles, et le devenir des nitrates concentrés par les résines reste un problème. D'autres voies sont explorées, basées sur des méthodes biologiques (action de bactéries sélectionnées) ou chimiques (emploi de nouveaux réactifs). Les membranes d'hyperfiltration apparaissent comme des outils prometteurs : déjà utilisées dans le dessalement de l'eau de mer, elles équipent aussi quelques usines de faible importance. L'eau est projetée à grande vitesse dans des tubes dont les parois sont percées de pores microscopiques. Ceux-ci ne laissent passer que de minuscules gouttelettes d'eau pure, alors que particules organiques et micro-organismes sont retenus dans la lumière du tube. Cette technique est adaptée à toute venue polluante mais est coûteuse en énergie. L'utilisation de membranes de microfiltration, moins performantes mais moins coûteuses, pourrait être une solution convenable dans les pays en voie de développement.

LE FONCTIONNEMENT D'UNE USINE DE TRAITEMENT DES EAUX

■ La filière de l'eau

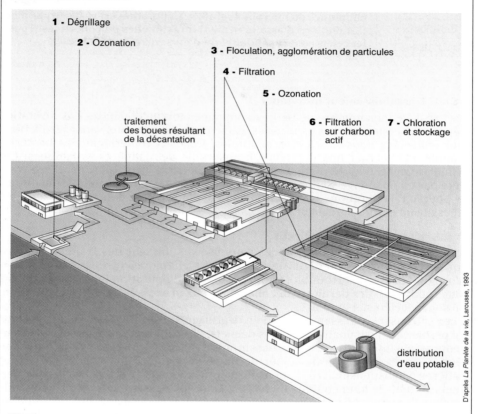

1 - Dégrillage

2 - Ozonation

3 - Floculation, agglomération de particules

4 - Filtration

5 - Ozonation

traitement des boues résultant de la décantation

6 - Filtration sur charbon actif

7 - Chloration et stockage

distribution d'eau potable

D'après *La Planète de la vie*, Larousse, 1993

■ Un exemple d'usine de traitement

L'usine de traitement d'Évry, située en banlieue parisienne, fournit 300 000 m^3 par jour d'eau potable, à partir d'eau de la Seine pompée en amont de Paris. Après le dégrillage, la clarification de l'eau est réalisée, dans un premier temps, par coagulation sur des filtres d'argiles, avec ajout de faibles quantités de réactifs divers (comme du chlorure ferrique). L'eau subit ensuite une préfiltration, puis une filtration biologique qui réduit, notamment, la contamination bactériologique. Cette étape est assurée par un passage lent (vitesse de 5 à 12 mètres par jour) de l'eau dans 30 filtres à sable, dont la surface atteint 2,5 hectares. L'épaisseur du sable est de 0,70 mètre. L'eau subit ensuite une ozonation de quelques minutes avant d'être filtrée, pendant 10 minutes, sur des filtres à charbon actif (bois et noix de coco). Au cours de son trajet dans l'usine, l'eau a traversé une épaisseur cumulée de matériaux d'environ 3,8 mètres et mis environ 6 heures à devenir potable.

LES MILIEUX DE VIE
L'ATMOSPHÈRE
LES EAUX
FLORE ET FAUNE
LES RISQUES
LES ÉVOLUTIONS

L'assainissement des eaux

La protection des ressources en eau nécessite l'épuration des eaux usées, contenant différents types de polluants, physiques, chimiques ou microbiologiques. L'épuration est réalisée par des installations d'assainissement individuelles ou collectives. Tous les rejets sont cependant loin d'être correctement traités.

■■■■ L'assainissement individuel

Il est réalisé dans nombre de petites communes lorsqu'il n'existe pas de station d'épuration collective. Les eaux usées, eaux ménagères et eaux-vannes (toilettes), sont collectées dans des fosses septiques. Celles-ci renferment des bactéries capables d'effectuer une dégradation anaérobie des matières organiques. Cet assainissement, dont le rendement est compris entre 30 et 70 %, peut être complété par un épandage souterrain des eaux dans un terrain filtrant au sein duquel se poursuit l'épuration. Le fonctionnement convenable d'une fosse septique nécessite un entretien régulier.

■■■■ L'assainissement collectif

□ Dans une station d'épuration, les eaux usées subissent des traitements physiques (rétention des matières en suspension), chimiques (précipitation de certains composés) et surtout biologiques (stations d'épuration biologiques dites à boues activées). Ces derniers sont analogues aux processus naturels d'épuration, qui sont accélérés et optimisés.

□ Les eaux usées subissent d'abord un dégrillage, un désablage et un dégraissage qui permettent l'élimination des gros déchets, des sables et des graisses. Elles parviennent ensuite dans un vaste bassin, ou décanteur primaire, dans lequel se dépose, après un temps de séjour de quelques heures, une grande partie des matières en suspension (70 %) pour former des boues primaires, raclées en permanence dans le fond conique du bassin. Les eaux passent alors dans de grands bassins d'aération où prolifèrent des bactéries. Celles-ci assurent la dégradation des molécules organiques.

□ Les eaux contenant des micro-organismes agglomérés subissent alors une décantation secondaire qui élimine ces micro-organismes sous forme de boues secondaires, dites activées. Une partie des boues secondaires est réinjectée dans les bassins d'aération, ce qui active le processus d'épuration. Mille litres d'eaux épurées génèrent, en moyenne, 500 grammes de boues. Après les décanteurs secondaires, les eaux épurées sont rejetées dans un cours d'eau avoisinant.

□ La plupart des stations permettent une élimination convenable des matières en suspension et de la pollution carbonée, avec des rendements de l'ordre de 70 à 80 %. Mais elles n'assurent souvent qu'une épuration réduite de l'azote et du phosphore, qui n'est améliorée que dans les stations les plus récentes. Des traitements plus spécifiques peuvent être conduits selon la nature des effluents, notamment dans le cas de stations d'épuration liées à des industries.

□ Le taux de dépollution en France reste encore insuffisant, notamment du fait de la mauvaise étanchéité des réseaux d'assainissement et du fonctionnement encore imparfait des stations.

Une ville de 100 000 habitants rejette chaque jour dans les eaux usées 18 tonnes de matières organiques, ce qui montre l'ampleur du problème de l'épuration.

■ Le devenir des boues

Les boues issues de la décantation primaire et les boues activées en excès sont pompées vers des cuves closes, les digesteurs. Elles sont brassées à 35 °C pendant plusieurs semaines, subissant ainsi des processus de fermentation anaérobie qui modifient leurs caractères et les stabilisent sur le plan de l'hygiène.

La digestion produit un gaz riche en méthane qui représente une source d'énergie pour la station (chauffage des digesteurs, production d'énergie électrique). Les boues digérées sont ensuite épaissies, ce qui diminue leur volume. Elles sont conditionnées par adjonction de chaux et de chlorure ferrique. Elles sont enfin déshydratées dans des filtres presses, conduisant à la formation de « gâteaux » contenant environ 40 % de matières solides. Ces produits sont en grande partie incinérés dans des fours, les fumées libérées faisant l'objet de traitements.

Les différentes étapes de l'épuration des eaux

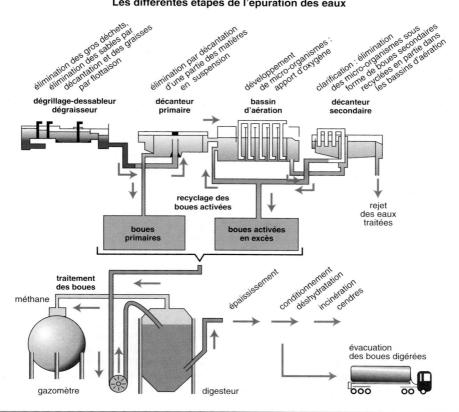

LES MILIEUX DE VIE
L'ATMOSPHÈRE
LES EAUX
FLORE ET FAUNE
LES RISQUES
LES ÉVOLUTIONS

Les acteurs de l'eau en France

La gestion de l'eau est l'un des grands problèmes actuels d'environnement. Elle implique la concertation de nombreux partenaires : usagers, Agences de bassin, administrations locales.

Les organismes de bassin

☐ La gestion législative et administrative de l'eau repose en grande partie sur la loi sur la répartition des eaux et la lutte contre la pollution, du 16 décembre 1964. Cette loi organise la gestion de l'eau en six grands bassins hydrographiques, géographiquement séparés par des lignes de partage des eaux, ce qui permet d'envisager, à l'échelle d'un bassin, l'ensemble des problèmes techniques, économiques ou financiers liés à l'eau.

☐ Chaque bassin est administré par une assemblée représentant les élus, les usagers et les administrations : le Comité de bassin, et par un établissement public de l'État à caractère administratif : l'Agence financière de bassin. Le Comité de bassin, lieu de discussion sur les différents problèmes de l'eau, doit approuver le taux des redevances, cotisations obligatoires que doivent acquitter au bassin tous les pollueurs (usagers, collectivités, industriels…). L'Agence de bassin constitue l'organe exécutif de la gestion. En relation avec la politique adoptée, elle établit des programmes quinquennaux d'interventions, fixant les objectifs à atteindre. Elle perçoit les redevances et les redistribue sous forme d'aides pour toute entreprise publique de lutte contre la pollution (protection des captages, réalisation d'installations d'épuration).

Le rôle de l'État

☐ La coordination entre les ministères concernés par la gestion des eaux est assurée par le ministère de l'Environnement. L'application des mesures réglementaires est contrôlée par un ensemble de services départementaux : Directions départementales de l'agriculture (DDA), de l'équipement (DDE), et des affaires sanitaires et sociales (Ddass), et régionaux : Services de la navigation, Direction régionale de l'architecture et de l'environnement, Service régional de l'aménagement des eaux. Ces services assurent la police et le contrôle des cours d'eau.

☐ Avec le concours de la Ddass, c'est le préfet qui exerce le contrôle de l'État sur la qualité des eaux distribuées (protection des captages, potabilité des eaux).

Le rôle des collectivités locales

La distribution des eaux potables et l'assainissement des eaux usées sont des services publics sous la responsabilité des communes. Celles-ci peuvent s'associer en syndicats intercommunaux. La gestion peut être assurée en régie directe, par le propre personnel technique et administratif de la commune. La commune peut aussi concéder le service, par contrat, à une société privée (concession ou affermage). Le contrôle de la qualité des eaux est à charge du distributeur, sous la surveillance de la Ddass, qui effectue à intervalles réguliers les analyses réglementaires.

LA GESTION DE L'EAU

■ À l'échelle de la France

La gestion de l'eau s'organise en six grands bassins hydrographiques, limités par des lignes de partage des eaux. La carte ci-dessous indique la superficie de chaque bassin (en km²) ainsi que la population qui l'occupe (en millions d'habitants).

Les six bassins hydrographiques

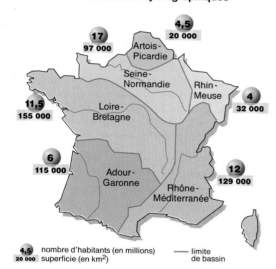

4,5 / 20 000 = nombre d'habitants (en millions) / superficie (en km²)
—— limite de bassin

Les stations d'épuration de l'agglomération parisienne

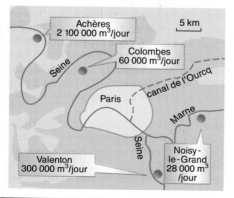

■ À l'échelle d'une grande ville, Paris

Paris est alimenté par des eaux souterraines prélevées dans des sources lointaines et conduites par aqueducs jusqu'à des réservoirs de stockage.

La consommation urbaine impose également de pomper des eaux superficielles dans la Seine, la Marne et l'Oise. Cette utilisation a nécessité la réalisation de nombreuses usines de traitement, dont celle de Choisy-le-Roi, d'une capacité de 800 000 m³ par jour. La distribution de l'eau est assurée par un ensemble de compagnies. La Ville de Paris dispose de six réservoirs d'eau potable, totalisant plus de 700 000 m³. Le plus vaste est le réservoir de Saint-Cloud, dont le contenu de 420 000 m³ suffirait à alimenter pendant 24 heures les 2 800 000 consommateurs de la rive droite de la Seine. La longueur des conduites de distribution atteint 2 350 kilomètres, dont 1 200 kilomètres pour l'eau potable. Le réseau dessert plus de 25 000 appareils publics de distribution (bouches d'incendie, bouches d'arrosage ou de lavage des caniveaux…).

L'épuration des eaux usées est assurée par le Syndicat intercommunal d'assainissement de l'agglomération parisienne (Siaap). Celui-ci gère, en particulier, la station d'Achères, située en aval de Paris, la plus importante en Europe, avec 2 100 000 m³ traités par jour, soit l'équivalent du débit de la Marne.

LES MILIEUX DE VIE

L'ATMOSPHÈRE

LES EAUX

FLORE ET FAUNE

LES RISQUES

LES ÉVOLUTIONS

La biodiversité des milieux

La simple observation des milieux naturels révèle l'extraordinaire diversité des organismes vivants. Notre connaissance de la diversité biologique reste cependant incomplète puisqu'il est peu de missions scientifiques qui ne conduisent, en zoologie, à la description de nouvelles espèces.

▬▬▬ Des espèces nombreuses et diversifiées

☐ La diversité biologique est estimée par le nombre d'espèces peuplant un milieu. Une espèce est l'ensemble des organismes pouvant de se reproduire entre eux et incapables d'engendrer des hydrides fertiles avec des individus appartenant à une espèce différente. Une espèce est donc un groupe isolé sur le plan de la reproduction.

☐ Aujourd'hui, le nombre d'espèces décrites atteint 1,5 million. L'estimation du nombre total d'espèces existantes varie, selon les chercheurs, entre 5 et 30 millions. Notre connaissance n'excède donc pas les 5 à 30 % des espèces susceptibles de peupler la Terre. Chez les animaux, le groupe le plus représenté est celui des arthropodes (araignées, crustacés, insectes…). À titre d'indication, on dénombre 750 000 espèces d'insectes, 41 000 espèces de vertébrés et 250 000 espèces de végétaux.

▬▬▬ Apparition et disparition des espèces

☐ La paléontologie (étude des fossiles) montre qu'au cours des temps se sont succédées de grandes variétés d'organismes, témoignant de l'apparition et de la disparition des espèces.

☐ L'apparition d'une espèce peut se produire lorsqu'une population se trouve, pour une raison ou une autre, scindée en deux groupes géographiquement séparés. Le patrimoine génétique de chacun des groupes évolue alors de manière indépendante. Au bout d'un certain temps, il devient suffisamment différent pour interdire tout croisement entre les individus séparés s'ils étaient à nouveau remis en présence : la séparation a donné naissance à deux nouvelles espèces.

☐ L'isolement géographique des populations peut résulter de modifications géologiques comme le morcellement d'un continent. Un exemple est fourni par l'évolution des mammifères depuis le début de l'ère tertiaire, il y a 65 millions d'années : au début du Tertiaire, des mammifères marsupiaux colonisent l'Amérique du Sud et l'Australie, alors réunies. Ces deux continents se sont ensuite séparés : l'isolement de l'Australie est resté total, ce qui explique l'originalité de sa faune sauvage formée de marsupiaux. Il y a trois millions d'années, l'isthme de Panama a réuni Amérique du Nord et Amérique du Sud, provoquant des échanges de faune et l'homogénéisation de celle-ci.

☐ Les temps géologiques sont parfois marqués par des épisodes de disparitions massives. Ces épisodes sont utilisés comme coupures chronologiques : ainsi, la fin de l'ère secondaire est définie par la disparition de nombreux groupes, dont celui des dinosaures et des ammonites (mollusques marins).
Certaines espèces sont de véritables fossiles vivants, comme le cœlacanthe, seul survivant d'un groupe aujourd'hui disparu.

■ L'apparition de nouveaux caractères au sein d'une espèce

Dans une population, un caractère nouveau peut soudainement apparaître et s'observer chez certains individus : un exemple classique est fourni par un papillon, la phalène du bouleau. En Grande-Bretagne, jusqu'au XIXe siècle, les phalènes étaient exclusivement de couleur claire. À cette époque fut capturée, dans la région de Manchester, une forme sombre de phalène. Cette modification est le résultat d'une mutation apparue par hasard et affectant un gène responsable de la synthèse de pigments. Cette forme sombre a peu à peu remplacé la forme claire dans toutes les régions industrielles de l'Angleterre. Cette évolution semble liée à l'évolution du milieu de vie : la phalène est un papillon nocturne qui passe la journée immobile, étendu sur les troncs d'arbres et les murs. Posées sur des troncs clairs, les formes claires sont pratiquement invisibles aux yeux de leurs prédateurs, les oiseaux. Elles sont au contraire très visibles sur les troncs et les murs noircis de suie des régions industrielles, sur lesquels se camouflent les formes sombres. Le jeu de la sélection naturelle, liée aux conditions de milieu, a donc accru la fréquence des individus présentant la mutation et permis l'adaptation de l'espèce à de nouvelles conditions.

■ La diversification des espèces dans un milieu

Un milieu présente de nombreuses niches écologiques dans lesquelles se répartissent les espèces. Un exemple célèbre de diversification d'espèces dans un milieu est fourni par les observations de Darwin sur les pinsons de l'archipel des Galapagos (océan Pacifique). Les différentes îles sont aujourd'hui peuplées par de nombreuses espèces de pinsons, occupant de multiples niches écologiques : certaines espèces se nourrissent de graines, d'autres de cactus, d'autres encore d'insectes. On a montré que ces îles étaient initialement dépourvues d'oiseaux. Les îles centrales de l'archipel ont été envahies par une espèce granivore issue d'Amérique du Sud. Les individus ont ensuite conquis les autres îles, peuplant les différentes niches écologiques, ce qui a conduit à une diversification importante du nombre d'espèces. De manière générale, l'introduction dans un milieu de nouvelles espèces, exploitant des niches déjà occupées, détermine le développement de compétitions pouvant conduire à la disparition et au remplacement d'espèces initiales.

Modifications des caractères au sein d'une espèce

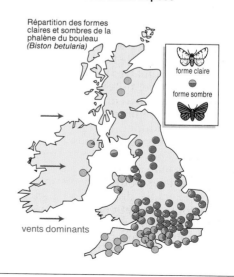

Répartition des formes claires et sombres de la phalène du bouleau (Biston betularia)

forme claire

forme sombre

vents dominants

LES MILIEUX DE VIE
L'ATMOSPHÈRE
LES EAUX
FLORE ET FAUNE
LES RISQUES
LES ÉVOLUTIONS

Besoins et exigences des espèces

Les êtres vivants exploitent leur milieu, source de nourriture, et présentent des exigences écologiques qui guident leur répartition et influent sur les peuplements.

Les besoins alimentaires des êtres vivants

□ Les végétaux chlorophylliens prélèvent, dans le milieu, des molécules uniquement minérales. Ils sont capables, à partir de celles-ci, de fabriquer leurs molécules organiques (glucides, lipides, protides). Cette synthèse nécessite notamment du dioxyde de carbone (CO_2 atmosphérique ou dissous) et de l'eau. Les autres éléments indispensables (azote, phosphore...) sont prélevés avec l'eau sous forme d'ions (nitrates, phosphates...) présents dans le sol ou dans l'eau de mer. La fabrication des molécules organiques utilise l'énergie lumineuse, captée grâce à la chlorophylle des feuilles, ce qui fonde le terme de photosynthèse. Les organismes comme les végétaux chlorophylliens, capables de synthétiser leur matière organique à partir de matière uniquement minérale, sont des organismes autotrophes.

□ Les animaux ne peuvent synthétiser leur matière organique qu'à partir de molécules organiques préexistantes. Ils se nourrissent d'autres organismes, végétaux ou animaux, qu'ils récoltent, chassent ou parasitent. La matière organique des organismes morts (par exemple, la litière du sol, formée de débris végétaux et de cadavres d'animaux) est exploitée par un ensemble d'êtres vivants appelés décomposeurs. Les organismes et les animaux qui doivent trouver dans leur milieu des sources organiques de nourriture sont des hétérotrophes.

Les exigences écologiques des espèces

□ Certains milieux présentent des caractéristiques écologiques particulières : c'est le cas, par exemple, de certaines zones littorales marécageuses, au contact de l'eau de mer et de l'eau douce, marquées par des variations importantes de salinité (eaux saumâtres). Ces zones ne sont peuplées que par un faible nombre d'espèces, susceptibles de supporter ces conditions de salinité très changeantes.

□ Pour chaque facteur écologique (température, salinité...), tout être vivant présente ainsi des limites de tolérance, inférieure ou supérieure, entre lesquelles il peut se développer. Certaines espèces ont des exigences strictes, d'autres, au contraire, acceptent d'importantes variations des conditions du milieu. Ces dernières sont souvent les espèces qui présentent de vastes aires de répartition.

□ D'autres milieux sont caractérisés par des conditions constantes mais suffisamment originales pour n'être peuplés que par des espèces les supportant : c'est le cas, par exemple, de certains milieux de bords de mer : flaques d'eau sursalées où se développe un petit crustacé, *Artemia salina,* ou marais côtier où s'étendent des végétaux aux tiges charnues, les salicornes.

□ Un faible nombre d'espèces dans un milieu limite la compétition entre elles, ce qui permet le développement d'un grand nombre d'individus des espèces adaptées.

LE RECYCLAGE DE LA MATIÈRE DANS UN ÉCOSYSTÈME

Au sein d'un écosystème se produit un cycle de matière entre état minéral et état organique. Ce cycle assure la couverture des besoins alimentaires des organismes vivants.

La matière organique élaborée par les végétaux chlorophylliens à partir de matières minérales est transférée le long des chaînes alimentaires, des producteurs primaires aux consommateurs végétariens puis carnivores.

Tous les êtres vivants, végétaux et animaux, dégradent une partie de la matière organique pour couvrir leurs besoins en énergie. La principale voie de libération d'énergie par dégradation de la matière organique est la respiration, qui restitue du dioxyde de carbone et de l'eau. Il s'agit donc d'un processus qui assure le retour à l'état minéral d'une partie de la matière organique. Les décomposeurs du sol réalisent par respiration et fermentation la minéralisation de la matière organique morte, dont les éléments (azote, phosphore...), de retour à l'état minéral (par exemple sous forme de nitrates pour l'azote), peuvent être réutilisés par les végétaux.

Le cycle de la matière dans un écosystème

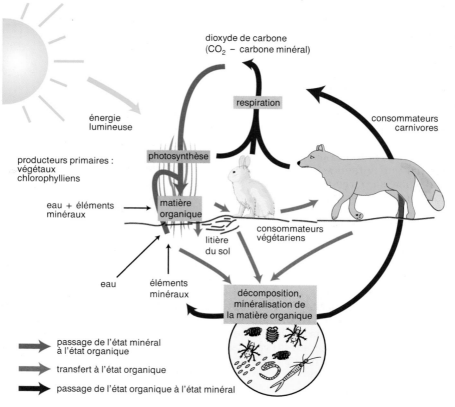

dioxyde de carbone (CO_2 – carbone minéral)

respiration

énergie lumineuse

consommateurs carnivores

photosynthèse

producteurs primaires : végétaux chlorophylliens

eau + éléments minéraux

matière organique

litière du sol

consommateurs végétariens

eau

éléments minéraux

décomposition, minéralisation de la matière organique

→ passage de l'état minéral à l'état organique

→ transfert à l'état organique

→ passage de l'état organique à l'état minéral

LES MILIEUX DE VIE
L'ATMOSPHÈRE
LES EAUX
FLORE ET FAUNE
LES RISQUES
LES ÉVOLUTIONS

La dynamique des écosystèmes

Dans un écosystème, les relations alimentaires, ou relations trophiques, qui s'établissent entre producteurs primaires et consommateurs réalisent des transferts de matière et d'énergie.

▬▬ Les biomasses au sein d'un écosystème

□ Dans l'écosystème forestier, par exemple, on peut estimer la masse des végétaux chlorophylliens (masse des troncs, des branches, des feuilles…). Cette masse est la biomasse du premier niveau trophique de l'écosystème, celui des producteurs primaires. Cette biomasse peut être exprimée par le poids sec des organismes par unité de surface de forêt, ce qui traduit bien la matière organique présente. Celle-ci équivaut à une certaine énergie, libérée par exemple lors de la combustion du bois. C'est pourquoi la biomasse est fréquemment exprimée par son équivalent énergétique, un gramme de matière sèche correspondant à environ 21 kilojoules (kJ).

□ Il est également possible de déterminer la biomasse des consommateurs herbivores peuplant la même surface de forêt (connaissant la densité approximative de population et la masse moyenne des organismes), puis celle des consommateurs carnivores.

□ Les mesures montrent que la biomasse diminue fortement d'un niveau à un autre. L'évolution des biomasses peut être représentée par une pyramide dont chaque étage traduit, par sa largeur, la biomasse du niveau trophique considéré.

Biomasse pour un écosystème

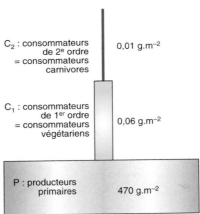

C_2 : consommateurs de 2e ordre = consommateurs carnivores — $0,01 \ g.m^{-2}$

C_1 : consommateurs de 1er ordre = consommateurs végétariens — $0,06 \ g.m^{-2}$

P : producteurs primaires — $470 \ g.m^{-2}$

▬▬ La productivité d'un écosystème

□ Dans une forêt, la croissance des arbres détermine une augmentation de la biomasse, ou production primaire, au cours du temps. Cette production, exprimée en masse de matière sèche (ou en son équivalent énergétique) par unité de surface et par unité de temps, est la productivité, qui mesure finalement la vitesse de production.

□ L'augmentation de la biomasse des producteurs primaires définit la productivité primaire nette ou apparente. Elle ne correspond pas entièrement à la totalité de la matière organique produite : en effet, une partie de celle-ci est immédiatement dégradée par les cellules du végétal pour couvrir leurs besoins en énergie. La productivité primaire nette est inférieure à la productivité primaire brute, qui correspondrait à l'activité réelle de la photosynthèse.

□ L'accroissement de la biomasse des consommateurs, ou production secondaire, ramenée à l'unité de surface et de temps est la productivité secondaire.

LES TRANSFERTS DE MATIÈRE ENTRE ORGANISMES

■ Les transferts de matière, des végétaux aux carnivores

Les végétaux chlorophylliens reçoivent de l'énergie solaire. Une partie de celle-ci n'est pas utilisée. L'énergie absorbée est utilisée pour la synthèse de matière organique, ce qui correspond à la production primaire brute (PB). L'accroissement réel de la biomasse correspond à la production primaire nette (PN_1), égale à la production primaire brute diminuée de la matière organique dégradée par la respiration du végétal (R_1).

Seule une partie de la matière végétale est ingérée par les herbivores, l'autre partie, non utilisée (NU_1), est dégradée par les décomposeurs. Une part de la matière ingérée n'est pas absorbée par l'organisme ; elle est rejetée sous forme d'excréments (NA_1). L'autre partie, assimilée, est en partie dégradée par la respiration (R_2), le reste servant à l'accroissement de la biomasse de l'organisme (production secondaire : PS_1), qui représente la matière disponible pour les carnivores, c'est-à-dire pour le niveau suivant. Des transferts analogues se produisent entre chaque niveau.

■ Des pertes considérables à chaque niveau

Dans un écosystème, l'étude quantitative des transferts de matières montre qu'à chaque niveau se produisent des pertes considérables, que l'on peut exprimer en termes d'énergie.

Les végétaux n'utilisent que 1 % de l'énergie solaire reçue. Les herbivores n'utilisent eux-mêmes que 1 % de la matière végétale pour fabriquer leur propre matière. 10 % de celle-ci servent aux carnivores, eux-mêmes consommés à 10 % par d'autres carnivores. Le quatrième maillon de la chaîne alimentaire n'utilise donc que le millionième de l'énergie initialement disponible. La quantité de matière produite devient faible, ce qui explique qu'on ne trouve que rarement des chaînes alimentaires de plus de quatre niveaux trophiques.

Les transferts de matière dans un écosystème

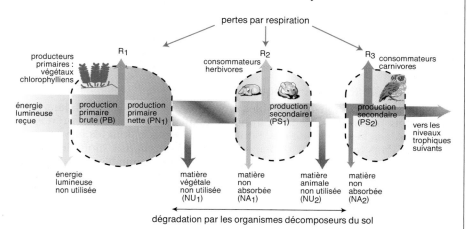

Les modifications d'équilibre

Au sein d'un milieu naturel existent de nombreuses relations entre les populations. Toute modification peut s'accompagner de conséquences importantes, quelquefois difficiles à prévoir tant les interactions sont complexes. L'homme modifie parfois les équilibres naturels pour protéger les cultures.

Les conséquences d'une modification

☐ Bien qu'en renouvellement permanent, les milieux naturels constituent des milieux en équilibre au sein desquels existent de nombreuses relations de nutrition ou de reproduction entre des populations stables. Toute modification d'une population, pour une raison quelconque, peut provoquer une rupture d'équilibre dans la chaîne alimentaire à laquelle elle appartient et perturber tous les niveaux de celle-ci : ainsi, la raréfaction d'un prédateur peut déterminer la prolifération de ses proies. Si celles-ci sont herbivores, elles exercent alors, du fait de leur nombre, une pression plus grande sur certains végétaux dont les populations sont dégradées, ce qui amoindrit en retour leur source de nourriture et peut conduire, à terme, à la restauration d'un nouvel état d'équilibre entre végétaux et herbivores, redevenus moins nombreux. Les conséquences sont en réalité beaucoup plus complexes : la chaîne alimentaire s'inscrit dans un réseau où la proie est souvent consommée par d'autres prédateurs, dont le nombre peut alors s'accroître. La raréfaction d'une espèce peut ainsi s'accompagner du développement d'une autre qui occupe la niche écologique devenue partiellement vide.

☐ Certains prédateurs ne s'attaquent qu'à des proies faibles ou malades, et leur disparition peut conduire à l'extension de maladies chez les proies, dont les individus atteints ne sont plus éliminés. Ainsi, en Pologne, la chasse active des loutres, accusées de nuire à la pêche, n'a conduit qu'au développement de maladies chez les poissons dont elles maintenaient l'état sanitaire en consommant préférentiellement les poissons malades. Un organisme nouvellement introduit dans un écosystème peut aussi apporter avec lui des micro-organismes pathogènes ou parasites, susceptibles de générer des maladies jusqu'alors inconnues.

☐ La perturbation touche parfois des individus indispensables à la reproduction d'autres espèces ; par exemple, la raréfaction d'un insecte peut influer sur le développement de l'espèce végétale dont il effectue le transport du pollen.

Des modifications provoquées

L'homme combat parfois les nuisibles des cultures en introduisant dans le milieu des ennemis naturels de ceux-ci, appelés auxiliaires, et qui sont prédateurs ou parasites. Ainsi, la pyrale du maïs, petit papillon de nuit, dont les larves causaient des dégâts dans les cultures de maïs, a-t-elle été combattue biologiquement par l'introduction de trichogrammes, autre insecte, dont les femelles pondent dans les œufs de pyrale, utilisés alors comme source de nourriture. Cette lutte biologique présente parfois des risques : au siècle dernier, l'introduction de la mangouste en Jamaïque pour détruire les rats ravageurs de canne à sucre a entraîné, avec la prolifération des mangoustes, la destruction de nombreux autres mammifères. La lutte dite intégrée associe lutte biologique et lutte chimique.

L'EXTENSION INCONTRÔLÉE D'UNE ALGUE

■ Une colonisation rapide

Caulerpa taxifolia est une algue tropicale de grande taille (quelques dizaines de cm) qui vit fixée sur des fonds allant jusqu'à 50 mètres. En Méditerranée, elle a été repérée pour la première fois en 1984, au large de Monaco. Vraisemblablement transportée avec les chaînes d'ancrage des bateaux, elle poursuit une expansion rapide : elle s'étend aujourd'hui sur plus de 1 500 hectares, non seulement dans de nombreuses stations de la Côte-d'Azur, mais aussi sur certaines zones côtières des Pyrénées-Orientales, des Baléares, de l'île d'Elbe ou de la Sicile.

**L'extension incontrôlée
d'une algue (situation en 1996)**

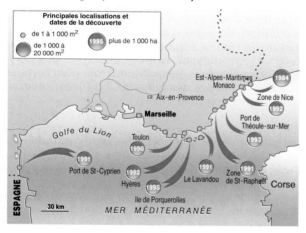

■ Des capacités de développement remarquables... et inquiétantes

Le développement de cette algue est favorisé par son adaptation remarquable à tous les types de supports et par sa résistance à la pollution des eaux et au froid. En outre, l'extension rapide de cette algue est liée à ses capacités de photosynthèse et d'exploitation des sels minéraux, phosphates notamment, qui apparaissent très supérieures à celles des végétaux initialement installés, les posidonies. L'algue sécréterait aussi des toxines qui la protégeraient des prédateurs (poissons herbivores). Lorsqu'elles s'installent, ces colonies d'algues tendent donc à supplanter les zones de posidonies encore appelées herbiers à posidonies. Les conséquences écologiques sont importantes car ces herbiers constituent des frayères et des nurseries pour les poissons. La progression de cette algue n'est pas enrayée, l'une des seules techniques efficaces étant pour l'instant l'arrachage à la main, méthode d'autant plus décourageante que l'algue repousse rapidement. La mise en place rapide de nouveaux procédés est nécessaire.

■ Une origine discutée

L'origine de cette algue est mal connue ; pour certains biologistes, elle se serait échappée lors de la vidange accidentelle d'un aquarium tropical au large de Monaco ; pour d'autres, elle ne représente qu'une simple variante morphologique d'une autre algue *(Caulerpa mexicana)* connue depuis 1939 en Méditerranée orientale.

Des introductions préjudiciables d'animaux

Des espèces animales peuvent aussi menacer, voire supplanter, les espèces initialement installées, en milieu marin comme en milieu continental. C'est le cas de la crépidule, gastéropode arrivé sur les côtes françaises lors du débarquement de 1944 et dont la prolifération inquiète aujourd'hui les ostréiculteurs.

LES MILIEUX DE VIE

L'ATMOSPHÈRE

LES EAUX

FLORE ET FAUNE

LES RISQUES

LES ÉVOLUTIONS

Les causes des disparitions

De nombreuses espèces végétales ou animales sont aujourd'hui menacées. Plus de 50 000 espèces auraient ainsi disparu des régions tropicales, entre 1955 et 1990. Les causes de ces disparitions sont multiples. Elles sont le plus souvent liées aux activités humaines, dont l'impact sur les milieux est considérable.

Les modifications des milieux

☐ Actuellement, les principales causes de disparition des espèces sont les altérations ou les destructions de certains milieux. Les environnements terrestres ont toujours subi des modifications, mais, sauf catastrophes (éruptions volcaniques…), celles-ci ont toujours été lentes (par exemple, mise en place d'une glaciation). L'époque moderne est caractérisée, du fait des activités humaines, par des modifications brutales des milieux, peu soucieuses du devenir des espèces, devenir souvent assombri de manière irréversible.

☐ Les altérations de grande ampleur frappent, par exemple, les régions tropicales, dont les forêts sont largement exploitées, ou les zones humides (marécages, marais côtiers), dont les superficies ont été considérablement réduites. Des modifications locales, comme la disparition d'une haie, d'une mare suffisent pour perturber les équilibres d'une population, en supprimant, par exemple, un lieu de nidification. La simple construction de routes, séparant les lieux d'hivernage des batraciens des trous d'eau où ils se reproduisent, suffit à provoquer des pertes considérables lors de leurs migrations nocturnes, jusqu'à mettre en péril certaines espèces. La sauvegarde d'une espèce, à l'image des ours des Pyrénées, nécessite souvent une aire minimale dont l'intégrité soit préservée.

Les effets de la pollution

☐ Les activités humaines sont à l'origine de nombreux polluants qui affectent nombre d'espèces. Il peut s'agir de la pollution atmosphérique, qui provoque, par exemple, la disparition des lichens ou entraîne des pluies acides, si préjudiciables aux écosystèmes forestiers et lacustres.

☐ Les eaux renferment également une infinité de substances polluantes, déchets de grande taille comme les plastiques, ou des molécules en solution dont les effets sont toxiques par concentration.

Un ensemble de causes conjuguées

☐ La raréfaction des populations résulte souvent du cumul d'effets négatifs. Ainsi les oiseaux, dont les territoires sont de plus en plus fragmentés par les occupations humaines, sont-ils souvent fragilisés par la consommation de proies contaminées. À ces menaces peuvent alors s'ajouter la pression excessive de la chasse, parfois pratiquée sans discernement, et de la pêche.

☐ Le développement du tourisme apparaît positif s'il accroît l'intérêt pour les milieux naturels et le sentiment de la nécessité de leur sauvegarde. Il constitue cependant souvent un facteur aggravant, certaines pratiques perturbant la tranquillité des animaux dans les forêts ou les montagnes, ou détruisant des peuplements, par exemple dans les zones littorales.

LES CONCENTRATIONS BIOLOGIQUES DE POLLUANTS

■ L'évolution des insecticides et des PCB

Les composés organohalogénés constituent un groupe de molécules très diverses, comprenant notamment des pesticides (insecticides organochlorés comme le DDT, aujourd'hui proscrit, le lindane...) et les polychlorobiphényles (PCB), utilisés comme agents isolants dans les installations électriques. Certains composés organochlorés peuvent engendrer par combustion (incendies de certains transformateurs) des dioxines, qui sont parmi les plus redoutables poisons connus.

Ces composés organohalogénés (auxquels on pourrait ajouter les métaux lourds) ne sont initialement présents qu'à de très faibles concentrations dans les pollutions humaines. Mais, non biodégradables, ils ne font que s'accumuler le long des différents niveaux des chaînes alimentaires. Les concentrations maximales sont ainsi atteintes chez les prédateurs (poissons et mammifères carnivores, oiseaux insectivores et rapaces). Elles sont également importantes chez certains coquillages (mollusques lamellibranches) qui filtrent chaque jour de grandes quantités d'eau.

■ Les effets des composés organochlorés

Les effets de ces polluants sur les êtres vivants sont divers. Des études ont montré que le DDT et les PCB réduisaient la croissance du phytoplancton. Les poissons présentent une grande sensibilité puisque certains insecticides suffisent à provoquer la mort de 50 % des individus à des concentrations inférieures à une partie par milliard. Par ailleurs, les insecticides peuvent perturber le développement embryonnaire et la croissance des alevins. Chez les oiseaux, le DDT et les PCB semblent ainsi réduire la fertilité des adultes et fragiliser la coquille des œufs.

Les effets néfastes des insecticides ne se limitent pas à leur accumulation dans les chaînes alimentaires. Ils peuvent aussi détruire des espèces utiles ou indifférentes, ce qui appauvrit la diversité des écosystèmes, et provoquer l'apparition de nuisibles résistants, dont il n'est possible de se débarrasser qu'avec des doses accrues ou de nouvelles molécules toxiques.

Les effets de ces pollutions se manifestent à l'échelle du globe, des concentrations significatives en composés organochlorés, DDT et PCB notamment, ayant été observées chez les animaux sédentaires de l'Arctique ou de l'Antarctique ! Ces molécules apparaissent comme des molécules très stables, et l'effet contaminant de pollutions anciennes s'observera vraisemblablement encore longtemps.

Bioaccumulation des PCB dans un réseau trophique
(poissons du lac Michigan)

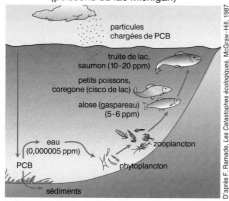

particules chargées de PCB

truite de lac, saumon (10-20 ppm)

petits poissons, coregone (cisco de lac)

alose (gaspareau) (5-6 ppm)

eau (0,000005 ppm)

zooplancton

PCB

phytoplancton

sédiments

D'après F. Ramade, *Les Catastrophes écologiques*, McGraw-Hill, 1987

Le facteur de concentration est de :
20/0,000005 = 4 millions !

LES MILIEUX DE VIE
L'ATMOSPHÈRE
LES EAUX
FLORE ET FAUNE
LES RISQUES
LES ÉVOLUTIONS

L'exploitation des océans

Pendant longtemps, les ressources biologiques des océans ont paru inépuisables. Aujourd'hui, la pêche, de plus en plus intensive, et la pollution diminuent de manière alarmante les richesses océaniques. Les menaces qui pèsent aujourd'hui sur bien des animaux marins affectent finalement l'ensemble de l'écosystème.

■■■■■ L'évolution actuelle des espèces océaniques

L'évolution des tonnages de pêche, en déclin depuis 1989 où ils avaient atteint 82 millions de tonnes, atteste de la diminution des ressources océaniques, avec une raréfaction inquiétante de certaines espèces de poissons. Cette raréfaction a même conduit à l'interdiction de pêche dans certaines zones, pourtant autrefois très riches, comme les Grands Bancs de Terre-Neuve. En mer du Nord, la quantité de morues ou de lieus noirs adultes a été divisée par 3 en quinze ans ! La diminution affecte les poissons en âge de se reproduire, ce qui augmente le risque de raréfaction. Une morue d'un an n'a, en mer du Nord, que 2 chances sur 100 d'atteindre l'âge de se reproduire ! Outre les poissons, certaines espèces d'oiseaux sont menacées, comme le macareux-moine sur les côtes de la Manche, du fait des marées noires successives, ou certains albatros des mers du Sud, piégés par des calmars utilisés comme hameçons par les pêcheurs. De nombreuses espèces de mammifères marins sont également en danger, comme le phoque-moine de Méditerranée, et bien des cétacés. L'ONU estime aujourd'hui nécessaire de gérer la préservation de 70 % des poissons, crustacés ou mollusques.

■■■■■ L'origine des menaces

☐ La pollution constitue une première cause susceptible d'affecter l'évolution des populations. Les métaux lourds ou les composés organochlorés, qui se concentrent dans les organismes, les déchets plastiques ingérés, les hydrocarbures des dégazages tuent chaque année des millions d'animaux, tortues, oiseaux ou mammifères.

☐ Mais la cause essentielle est aujourd'hui la pêche excessive, liée au développement de techniques aussi performantes que peu écologiques. L'utilisation des radars, des sonars détectant les bancs de poissons, d'informations météorologiques, voire d'avions d'observation facilite le repérage du poisson ; le développement de filets de grande taille, de lignes flottantes de dizaines de kilomètres de long et pourvues de milliers d'hameçons explique les prélèvements excessifs. Ces prises réalisées sans discernement conduisent à la mort inutile de millions d'animaux, poissons non recherchés, tortues ou mammifères. La raréfaction des adultes accroît le prélèvement des jeunes, et la diminution de certaines espèces oriente les pêcheurs vers de nouvelles espèces, situées généralement à des niveaux plus bas dans les chaînes alimentaires, ce qui réduit d'autant la nourriture pour les niveaux suivants.

☐ Les prélèvements actuels, trop lourds, doivent être réduits. Il importe que des mesures soient prises, et appliquées, concernant les techniques de pêche (par exemple, maillage des filets, interdiction des filets dérivants de plus de 2,5 km) et les quotas de prélèvement.

LES BALEINES EN DANGER

■ Des moratoires d'application difficile

Différentes espèces de baleines (rorqual bleu, rorqual commun, cachalot...) ont été activement et successivement chassées, pour la fourniture d'huiles, de viande, avec des techniques de plus en plus performantes (chasse au canon-harpon...). La mise au point de produits de substitution a privé la chasse de toute justification.

La réduction importante du nombre de baleines a conduit à la signature, en 1946, de la Convention internationale pour la réglementation de la chasse à la baleine. La Commission baleinière internationale qui en est issue a eu pour charge de définir les mesures d'interdiction et de limitation de chasse pour les espèces les plus menacées. Devant les difficultés d'application des réglementa-tions, il a été proposé, dans les années 1970, des moratoires visant à suspendre pour dix ans la chasse à la baleine. Malgré leur appartenance à la commission, nombre de pays (à l'époque, l'URSS et le Japon – dont les prises représentaient 75 % du total mondial –, mais aussi l'Islande et la Norvège) ont cependant poursuivi leur chasse, limitant seulement leurs prélèvements.

Un moratoire a finalement été signé en 1986, même si certaines espèces continuent à être chassées, comme le petit rorqual par les Japonais, sous des prétextes scientifiques. L'utilisation des filets dérivants pour la pêche et la sur-exploitation du krill, crevettes planctoniques sources de nourriture de bien des baleines, sont d'autres menaces qui ne favorisent pas la reconstitution des stocks.

Évolution des effectifs de cétacés

Espèces	Hémisphère	Effectifs (en milliers)		% de la population d'avant la chasse	Année d'interdiction de la chasse
		Avant la chasse	Actuel		
Cachalot	S	1 250	950	81	1985
	N	1 150	1 000		
Rorqual bleu	S	220	11	6	1967
	N	8	3		
Rorqual commun	S	490	100	22	1986
	N	58	20		
Baleine de Bryde	S	30	30	100	1986
	N	60	60		
Baleine boréale	S	190	37	21	1986
	N	66	17		
Baleine à bosse	S	100	3	9	1966
	N	15	7		
Baleine grise	S	—	—	< 90	1935
	N	20	18		
Baleine blanche	N	30	4,4	15	1935
Baleine des Basques	S	100	3	≃ 3	1935
	N	?	1		

D'après P. G. Evans, The Natural History of Whales and Dolphins, Christophen Helm, Londres, 1987

LES MILIEUX DE VIE
L'ATMOSPHÈRE
LES EAUX
FLORE ET FAUNE
LES RISQUES
LES ÉVOLUTIONS

Les peuplements modifiés

Les activités humaines, longtemps à dominante agricole, ont très souvent substitué aux écosystèmes naturels des écosystèmes aménagés ou des agrosystèmes. Ceux-ci correspondent à des peuplements sélectionnés et entraînent des modifications profondes de la faune et de la flore initiales.

▬▬ Les populations sélectionnées

☐ L'amélioration des rendements agricoles (productions végétales et élevage) résulte en partie de la sélection de variétés (chez les végétaux) ou de races (chez les animaux) performantes, qui dérivent d'espèces sauvages, alors modifiées. Ce travail, pratiqué depuis plus de 10 000 ans, se fonde aujourd'hui sur des bases scientifiques.

☐ Une espèce sauvage est constituée par un ensemble d'individus capables de reproduire, mais parmi lesquels peuvent exister des populations différant les unes des autres par des caractères de morphologie, de résistance ou de productivité.

☐ La sélection a pour objet de stabiliser des caractères intéressants pour les maintenir dans la descendance. Elle repose sur la réalisation de croisements dirigés, qui assurent une reproduction sexuée contrôlée entre des individus choisis. Elle conduit à l'obtention de variétés ou de races dites pures, caractérisées par la stabilité de caractères intéressants dans leur descendance. Les croisements entre des individus appartenant à des lignées pures différentes engendrent de nouvelles variétés ou de nouvelles races. L'intérêt de ces hybrides est alors de réunir certains caractères recherchés, initialement présents chez l'un des parents seulement.

☐ Pour une espèce donnée, seules les variétés les plus intéressantes font l'objet de cultures, ce qui conduit à des populations dont la diversité génétique est alors faible. Ces populations peuvent présenter une grande vulnérabilité à des changements de milieu, qui affectent de manière identique tous les individus (modification des conditions climatiques, introduction d'un parasite…).

▬▬ Des écosystèmes appauvris

☐ Les activités humaines substituent ainsi aux écosystèmes initiaux des écosystèmes aménagés ou artificiels de type agrosystèmes (champs cultivés). Ces transformations modifient profondément les réseaux trophiques : le nombre d'espèces vivant dans le milieu est réduit. Certaines espèces sauvages disparaissent alors que des populations de ravageurs ou d'animaux liés à l'homme peuvent au contraire se développer. Les chaînes alimentaires sont simplifiées.

☐ Les agrosystèmes ne sont maintenus qu'artificiellement et temporairement à l'état d'équilibre : l'abandon des activités humaines dans un milieu (exploitations agricoles, forestières ou industrielles) est généralement accompagné d'un retour de ce milieu vers les stades en équilibre avec les différents facteurs locaux du sol et du climat. Cette capacité de régénération touche autant les peuplements végétaux qu'animaux et restaure des réseaux trophiques plus diversifiés et plus complexes. Certaines activités, ayant provoqué l'altération et l'érosion des sols, interdisent cependant un retour rapide vers l'état initial.

LE PEUPLEMENT D'UN PAYSAGE AGRAIRE

■ Agriculture et biodiversité

Les activités humaines font évoluer de manière importante les paysages. Les cartes topographiques dressées à différentes époques et les divers documents d'archives (productions agricoles, nature des échanges commerciaux, recensement de la faune et de la flore...) permettent de reconstituer l'évolution locale des paysages et d'étudier les incidences des transformations sur les peuplements animaux et végétaux et, par suite, sur la biodiversité.

Les études conduites, par exemple, dans une région du Parc naturel régional des Landes de Gascogne ont révélé, depuis le milieu du siècle dernier, une succession de paysages agraires, privilégiant dans un premier temps élevage et cultures (système agro-pastoral), puis leur associant des exploitations forestières (système agro-sylvo-pastoral), celles-ci coexistant finalement avec les seules cultures (système agro-sylvicole). Cette évolution s'accompagne d'une variation importante des espèces présentes.

Évolution du paysage agraire

système
agro-pastoral

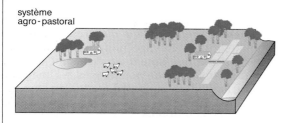

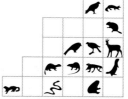

13 espèces présentes

système
agro-sylvo-pastoral

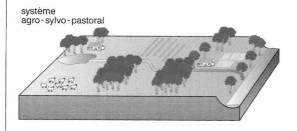

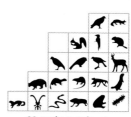

20 espèces présentes

système
agro-sylvicole

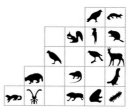

16 espèces présentes

LES MILIEUX DE VIE
L'ATMOSPHÈRE
LES EAUX
FLORE ET FAUNE
LES RISQUES
LES ÉVOLUTIONS

Préserver la diversité biologique

La diversité biologique est menacée par l'impact croissant de l'homme sur les milieux et par les pratiques agricoles, qui réduisent la diversité au profit de races ou de variétés sélectionnées.

Préserver la diversité des espèces sauvages

☐ La sauvegarde de nombreuses espèces passe d'abord par une limitation des prélèvements effectués par l'homme. L'estimation du nombre d'individus et la connaissance de la reproduction de l'espèce doivent permettre un ajustement des prises, alors défini de manière réglementaire.

☐ C'est ainsi que peuvent être établis, par exemple, des plans de chasse respectueux du devenir de l'espèce. En France, certaines populations autrefois menacées, comme le bouquetin ou le chamois, retrouvent aujourd'hui des effectifs moins inquiétants. La protection des espèces passe également par la préservation des milieux et la définition d'espaces protégés suffisamment vastes.

☐ Il est enfin possible, dans certains cas, de réintroduire des espèces dans un milieu. Cet apport se fait à partir d'individus prélevés dans d'autres régions, ou éventuellement maintenus un certain temps en élevage pour augmenter leur nombre. De telles réintroductions nécessitent que soient précisément estimés leurs impacts écologiques. Elles sont souvent source de polémiques, à l'image de celles suscitées dans certaines régions de France par la réintroduction du lynx.

Préserver la diversité des espèces sélectionnées

☐ Le développement de l'agriculture moderne s'est accompagné de la création, par sélection, de variétés et de races nouvelles de plus en plus performantes. Celles-ci ont supplanté, dans de nombreuses régions, les variétés et les races locales, issues du travail patient et empirique des générations précédentes. En France, par exemple, le cheptel bovin comptait, en 1945, 33 races ; seule la race normande excédait 10 % du cheptel, une douzaine de races locales représentant chacune entre 5 et 10 % de celui-ci. Aujourd'hui, 32 races sont encore élevées, mais 3 d'entre elles (frisonne-Holstein, normande et charolaise) représentent 75 % de l'ensemble.

☐ Cette standardisation des productions agricoles, motivée par des raisons économiques, entraîne un appauvrissement considérable de la diversité biologique autrefois beaucoup plus importante. Elle rend les peuplements plus sensibles à des variations du milieu, comme l'introduction accidentelle d'une maladie et, par suite, accroît la nécessité de traitements divers.

☐ L'appauvrissement de la diversité génétique est surtout préjudiciable à l'obtention future de nouvelles variétés ou de nouvelles races, basée sur des croisements entre souches différentes. La préservation de la variabilité génétique est un impératif pour le travail de sélection. Elle repose sur la sauvegarde de populations originelles et sur la constitution de véritables banques de caractères, conservant le patrimoine génétique des variétés et races traditionnelles pour de futures sélections.

LES ESPÈCES DISPARUES

Les récits de voyage des explorateurs livrent d'abondantes descriptions d'animaux alors inconnus. Mais l'histoire est riche d'espèces abondamment chassées par les nouveaux aventuriers, et qui n'ont survécu que le temps de leur découverte. Les extinctions se sont particulièrement produites en Afrique, en Amérique ou en Australie lors de la colonisation par les Européens. Elles ont aussi été importantes sur certaines îles, qui abritaient des espèces originales (faune ou flore dites endémiques, c'est-à-dire dont l'aire de répartition est limitée).

■ Le dronte

Parmi les exemples les plus célèbres, on peut citer le dronte de l'île Maurice, plus connu sous le nom de dodo. Cet oiseau, de la taille d'un cygne, était incapable de voler. Découvert en 1598 par des marins hollandais, il a totalement disparu en 1681 et n'est connu que par des croquis ou quelques rares squelettes. Des espèces voisines ont été rapidement exterminées sur l'île de la Réunion et sur l'île Rodrigues.

■ Le grand pingouin

Le grand pingouin, voisin du petit pingouin actuel, n'est connu que par des spécimens naturalisés. Il vivait dans l'Atlantique Nord et nichait sur un ensemble d'îles d'Islande, d'Écosse et de Terre-Neuve. De la taille d'une oie, il ne pouvait voler et constituait une proie très vulnérable. Activement chassé par l'homme, le dernier a disparu en 1844 au large de l'Islande.

■ La rhytine de Steller

La rhytine de Steller était un mammifère marin proche des dugongs (appelés vulgairement vaches marines). Cet herbivore de plus de huit mètres, brouteur de plantes aquatiques, vivait dans l'océan Arctique, dans la région du détroit de Bering. Découvert en 1741, cet animal était totalement exterminé par la chasse vingt-sept ans après.

LES MILIEUX DE VIE

L'ATMOSPHÈRE

LES EAUX

FLORE ET FAUNE

LES RISQUES

LES ÉVOLUTIONS

La faune menacée en France

L'ours des Pyrénées est sans doute devenu un symbole de la faune en danger, mais la faune française est riche de plus de 600 espèces de vertébrés dont le cinquième environ paraît menacé. Les invertébrés comprendraient entre 45 000 et 60 000 espèces, avec des menaces très variables et mal appréciées.

Des menaces d'intensité différente

☐ L'Union internationale pour la conservation de la nature (organisme non gouvermental fondé en 1948) distingue différents degrés de menaces avec :
– les espèces disparues, dont aucune observation n'a été signalée depuis une période significative ;
– les espèces en danger, dont les effectifs sont réduits à un seuil critique et qui peuvent disparaître en l'absence de protection spécifique. La limite d'extinction est difficile à définir ; elle varie selon la biologie de l'animal et les conditions de milieu. Pour l'Union internationale pour la conservation de la nature, une espèce est en voie d'extinction lorsqu'elle ne dépasse pas 2 000 individus ;
– les espèces vulnérables dont les effectifs sont en forte régression.
☐ En France, les espèces de vertébrés en danger et vulnérables sont au nombre de 117, soit 19 % de l'ensemble. Huit espèces ont disparu depuis la seconde moitié du XIXᵉ siècle. La classe la plus menacée est celle des amphibiens dont 35 % des espèces sont en danger ou vulnérables.
☐ À ces espèces directement menacées, il conviendrait d'ajouter les espèces rares, qui ne sont pas immédiatement vulnérables ou en danger, mais dont les populations sont limitées du fait d'une répartition géographique réduite, ce qui les expose à des risques. C'est par exemple le cas du lièvre variable, qui s'observe dans les milieux montagnards alpins, ou du desman des Pyrénées, insectivore aquatique à allure de taupe, qui n'habite que certaines rivières pyrénéennes.

La protection des espèces

☐ Elle est régie par une loi de 1976 relative à la protection de la nature et intégrée au Code rural. Cette loi comprend différents arrêtés de portée nationale ou régionale. La protection est également assurée par des directives européennes : la directive Oiseaux (1979) dresse, par exemple, les listes d'espèces devant être protégées ou pouvant être chassées. La directive Faune-Flore-Habitats (1992) s'intéresse aussi à la définition d'espaces protégés, seul moyen de préserver certaines espèces, principalement menacées par la réduction de leurs habitats. Enfin existent des conventions internationales comme la Convention de Berne, relative à la conservation de la vie sauvage et du milieu naturel de l'Europe, et la Convention de Washington (Cites), relative à la réglementation du commerce international d'espèces animales ou végétales menacées d'extinction ou vulnérables. La Convention de Berne ne s'applique qu'aux peuplements naturels, ce qui peut modifier la protection de certaines espèces à l'origine discutée : c'est le cas du loup, inconnu en France depuis 1925 et qui est réapparu en 1992 dans le Mercantour. Les deux hypothèses émises, retour naturel ou réintroduction accidentelle, offrent des garanties différentes à l'animal !

LES MAMMIFÈRES MENACÉS EN FRANCE

■ Espèces disparues ou en situation critique

Les mammifères les plus menacés sont souvent des carnivores, des mammifères marins ou des espèces de chauves-souris. Les carnivores apparaissent souvent comme des animaux nuisibles susceptibles de s'attaquer aux élevages. Les chauves-souris, longtemps décimées en raison de leur aspect effrayant, sont sensibles aux insecticides.

Espèces disparues	Phoque moine (vers 1973) Bouquetin des Pyrénées (fin du XIXe siècle) Baleine des Basques (milieu du XIXe siècle)
Espèces en danger	Ours brun, loutre, vison d'Europe, lynx, loup, marsouin, Phoque veau marin 2 espèces de chauves-souris
Espèces vulnérables	14 espèces de chauves-souris 2 espèces de rorqual Phoque gris

■ L'ours brun

Aujourd'hui, la population française d'ours bruns se réduit à une dizaine d'individus dans les vallées d'Aspe et d'Ossau, dans les Pyrénées. L'aire de répartition de l'ours en France n'a cessé de se réduire : à l'époque romaine, l'ours s'observe largement dans toute la moitié orientale de la France. Son aire se réduit peu à peu aux zones de montagnes. En 1850, seuls les Alpes, le Jura et les Pyrénées abritent encore des populations de faible importance. L'ours disparaît du Jura vers 1900, des Alpes vers 1940. Il faudrait aujourd'hui une cinquantaine d'individus pour reconstituer une population viable.

■ Le lynx

Le lynx occupait toute la France, avant se retirer, à partir de l'an 1500, vers les massifs montagneux. Il a disparu vers 1885 dans le Jura, vers 1910 dans les Alpes. Au milieu du XXe siècle, des populations de lynx ne subsistaient qu'en Europe centrale et, sous une autre espèce, en Espagne. Depuis 1975, des lynx, provenant de popula-

Aire de répartition de l'ours brun au cours des âges

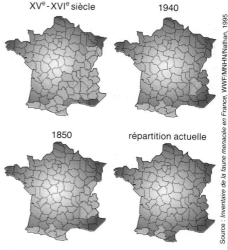

XVe - XVIe siècle | 1940

1850 | répartition actuelle

Source : *Inventaire de la faune menacée en France*, WWF/MNHN/Nathan, 1995

tions artificiellement réintroduites dans le Jura suisse, sont naturellement revenus dans le Jura et le nord des Alpes. Des réintroductions, parfois contestées, ont été conduites dans les Vosges à partir de 1983. En France, sa protection n'est que partiellement garantie par l'arrêté du 22 juillet 1993.

LES MILIEUX DE VIE

L'ATMOSPHÈRE

LES EAUX

FLORE ET FAUNE

LES RISQUES

LES ÉVOLUTIONS

Les risques d'origine naturelle

L'actualité quotidienne fait souvent état de catastrophes naturelles. Celles-ci, dont les origines sont multiples, géologiques ou climatiques, frappent le globe de manière très inégale.

Dangers et risques naturels

☐ Les dangers liés aux phénomènes naturels ne constituent des risques que s'ils affectent des régions peuplées par l'homme. La notion de risque découle ainsi de la mise en relation entre la probabilité de survenue d'un événement et l'ampleur de ses conséquences éventuelles.

☐ Les risques d'origine naturelle sont de différentes natures : certains événements, comme les séismes et les éruptions volcaniques, sont liés à l'activité interne de la Terre ; d'autres, comme les cyclones ou les tempêtes, sont des événements climatiques de grande ampleur. Les risques peuvent correspondre à des situations régionales particulières du point de vue géologique, climatique ou biologique : glissements de terrain, crues, incendies de forêts, avalanches.

Risques et activités humaines

☐ Les témoignages historiques et les études scientifiques permettent, pour une région donnée, d'identifier la nature et les caractères des risques susceptibles de l'affecter et révèlent souvent la permanence de ceux-ci au cours du temps. Les régions menacées par les manifestations naturelles brutales sont ainsi clairement reconnues. Elles n'en sont pas moins occupées par l'homme : les sols fertiles des régions volcaniques ont de tout temps retenu de nombreuses populations, et le risque sismique ne ralentit ni la croissance démographique ni le développement économique.

☐ L'impact des activités humaines peut s'ajouter aux facteurs naturels pour déclencher la survenue des catastrophes et aggraver leurs effets : la déforestation participe ainsi à la déstabilisation des versants et favorise glissements de terrain et avalanches.

Des dangers plus ou moins grands

☐ Bien que les estimations soient difficiles, les catastrophes naturelles auraient été, au cours des vingt-cinq dernières années, responsables de plus de cent millions de sinistrés et auraient fait plus d'un million de victimes.

☐ Les événements les plus meurtriers ont été, dans l'ordre, les tempêtes et les cyclones, les séismes, les inondations et les volcans. 90 % des victimes habitent les pays en voie de développement, beaucoup plus vulnérables du fait d'une occupation anarchique des zones à risques par des populations toujours croissantes et du fait de la pauvreté en dispositifs d'alerte et de protection.

☐ En France, les principaux risques sont les inondations et les mouvements de terrain, qui représentent respectivement 74,4 % et 21,4 % des dossiers instruits pour catastrophes naturelles entre 1982 et 1994. Les autres dangers sont, par ordre d'importance, les tempêtes (2 %), les avalanches (1 %) et les séismes (0,5 %).

LES ZONES DANGEREUSES DU MONDE

■ Localisation des zones dangereuses

À l'échelle du globe, les principales zones dangereuse sont celles où se localisent les volcans ou les séismes et celles qui sont régulièrement frappées par des cyclones.

Volcans et séismes se concentrent dans des zones étroites et allongées, véritables zones instables. Celles-ci constituent les frontières d'un ensemble de plaques mobiles les unes par rapport aux autres.

Les cyclones n'apparaissent que dans certaines conditions climatiques (température de l'océan supérieure à 27 °C) et suivent des trajets déterminés par la circulation atmosphérique.

■ La ceinture péripacifique

La ceinture péripacifique est une zone active de la Terre qui s'étend du Chili à l'Alaska et au Japon, se poursuivant jusqu'à l'Indonésie et la Nouvelle-Zélande. Sa sismicité est importante, avec des tremblements souvent meurtriers (séismes du Mexique, de la Californie, du Japon...). Également nommée « ceinture de feu », elle est le siège d'une intense activité volcanique. Ces volcans sont, pour certains, situés sur le bord du continent, alors que d'autres ont déterminé la formation d'archipels volcaniques (les archipels des Aléoutiennes, des Marannes et des Tonga, dans l'océan Pacifique). Les éruptions sont généralement dangereuses, de type explosif, avec de fréquentes nuées ardentes.

■ D'autres zones actives

Les petites Antilles, avec les volcans de la Soufrière, en Guadeloupe, et de la Montagne Pelée, en Martinique, constituent un arc volcanique séparant les domaines atlantique et caraïbe.

Le bord Sud de l'Europe est une autre zone instable, marquée par les nombreux séismes qui frappent périodiquement l'Italie, la Grèce et la Turquie.

Certaines îles océaniques comme la Réunion ou Hawaii montrent une activité volcanique importante, sans séismes associés.

Volcans, séismes et cyclones du globe

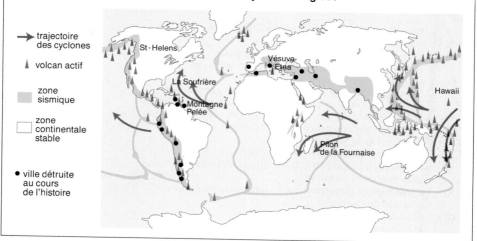

LES MILIEUX DE VIE

L'ATMOSPHÈRE

LES EAUX

FLORE ET FAUNE

LES RISQUES

LES ÉVOLUTIONS

Les risques sismiques

> Les séismes se localisent dans certaines zones du globe. Leur danger réside principalement dans leur soudaineté. Il n'est pas possible de prévoir avec précision la survenue d'un séisme, ce qui restreint la prévention à la construction d'édifices parasismiques et à l'éducation des populations.

L'origine des séismes

Un séisme se produit en profondeur dans des zones où s'exercent des forces susceptibles de déformer les roches. Celles-ci, progressivement déformées, peuvent atteindre leur point de rupture, ce qui se traduit par l'apparition brutale de cassures, ou failles, et par une libération soudaine d'énergie sous forme d'ondes sismiques. Le lieu où se produit la cassure est l'hypocentre ou foyer du séisme. La profondeur de celui-ci est variable, de quelques kilomètres jusqu'à plus de 600 km. L'épicentre se situe en surface à la verticale du foyer.

Intensité et magnitude

Seuls des séismes d'intensité importante et affectant des régions peuplées auront des conséquences dramatiques. Les manifestations ressenties lors d'un séisme et les dégâts occasionnés permettent d'estimer l'intensité de celui-ci selon une échelle conventionnelle, l'échelle macrosismique d'intensité MSK. Cette échelle comprend 12 degrés, chacun défini par ses effets sur la population ou sur les objets. L'intensité décroît lorsqu'on s'éloigne de l'épicentre. La magnitude selon l'échelle de Richter, plus fréquemment utilisée, est une mesure de la puissance d'un séisme calculée à partir de l'amplitude des ondes enregistrées par les sismographes, d'autant plus grande que l'énergie libérée par le séisme est élevée.

Estimations comparées de l'intensité et de la magnitude (en degrés Richter)

Intensité		Magnitude
I -	Non ressenti (secousse détectée par les sismographes)	3,5
II -	Secousse à peine perceptible	4,2
III -	Secousse faible ressentie de façon partielle (vibration analogue à celle causée par un camion léger)	4,3
IV -	Secousse largement ressentie (vibration analogue à celle causée par un camion lourd)	4,8
V -	Réveil des dormeurs (balancement des objets suspendus)	4,9 - 5,4
VI -	Frayeur (ressentie par tous ; déplacement de certains meubles)	5,5 - 6,1
VII -	Dommage aux constructions (station debout difficile)	6,2 - 6,9
VIII -	Destruction de bâtiments	6,2 - 6,9
IX -	Dommages généralisés aux constructions	6,2 - 6,9
X -	Destruction générale des bâtiments (crevasses dans le sol, glissements de terrains)	7,1 - 7,3
XI -	Catastrophes (déformations du terrain, voies ferrées très endommagées)	7,4 - 8,1
XII -	Bouleversement du paysage (crevasses, éboulements, cours d'eau affectés)	8 et plus

LA PRÉVISION DES SÉISMES

■ Les signes précurseurs

Même si les zones potentiellement dangereuses sont clairement reconnues, une prévision efficace reste aujourd'hui très limitée. Certains signes semblent être des précurseurs de séismes : il peut s'agir d'une variation du régime de circulation des eaux, qui modifie le niveau des sources et des puits et, parfois, la composition de l'eau. Des mesures de variations de courant électrique, qui pourraient être liées aux modifications de circulation des eaux, sont à l'origine d'une méthode de prévision proposée par des géophysiciens grecs, la méthode VAN, encore très controversée. Pour la plupart des sismologues, aucune méthode n'apparaît suffisamment convaincante pour établir avec précision le moment et le lieu d'un séisme et pour décider, par exemple, l'évacuation d'une région. Cela limite les moyens de prévision à la construction d'édifices parasismiques, atténuant les effets destructeurs des tremblements de terre.

Carte des épicentres connus

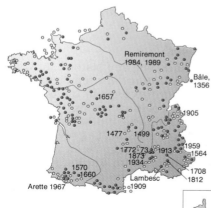

● épicentre bien localisé
○ épicentre de localisation incertaine

■ La sismicité de la France

Intensités maximales des séismes connus (échelle européenne MSK)

☐ inférieure à VI ou inconnue
▨ VI
▩ ≥ VII

Les principaux séismes et leur date

Le risque sismique en France est faible, même si l'histoire révèle l'existence de séismes parfois violents. Ceux-ci s'observent dans les Pyrénées (séisme d'Arette, 1967), en Provence (séisme meurtrier de Lambesc en 1909, qui fit 46 morts), dans les Alpes (séisme de 1905 qui détruisit l'église du village d'Argentière, en vallée de Chamonix) et dans l'est de la France, dans les Vosges (séismes récents de Remiremont, en 1984 et 1989) et surtout en Alsace (séisme destructeur à Bâle en Suisse en 1356). Ces zones montrent actuellement une activité faible.

Les zones de couleur sur la carte traduisent l'intensité maximale des séismes connus, estimée sur une échelle conventionnelle de I à XII, établie sur les effets destructeurs des séismes.

LES MILIEUX DE VIE

L'ATMOSPHÈRE

LES EAUX

FLORE ET FAUNE

LES RISQUES

LES ÉVOLUTIONS

Les risques volcaniques

Il existe dans le monde plus de cinq cents volcans actifs. Certains ont une activité permanente ou quasi permanente alors que d'autres se réveillent à l'issue d'une période de sommeil plus ou moins longue. Les dangers sont souvent accrus par la densité des populations, attirées par la fertilité de ces zones.

Les différents types de risques volcaniques

☐ Il existe sept grands types de risques volcaniques : les coulées de lave, les retombées, les écoulements pyroclastiques, les gaz, les lahars, les glissements de terrain et les tsunamis.

☐ Les écoulements pyroclastiques sont des émissions brutales, à grande vitesse et à haute température, de mélanges de gaz et de particules de magma qui constituent des nuées ardentes. Elles se produisent généralement avec des laves visqueuses, qui tendent à retenir les gaz volcaniques jusqu'à explosion. La destruction rapide et totale, en 1902, de la ville de Saint-Pierre en Martinique, avec 29 000 victimes, atteste de leur danger.

☐ Les lahars sont des coulées boueuses formées d'un mélange de cendres, de blocs et d'eau de précipitations ou, pour certains volcans d'altitude élevée, de fonte des glaciers. Ils s'engouffrent dans les vallées, sous forme de courants pouvant atteindre plusieurs dizaines de mètres de hauteur, détruisant tout sur leur passage. La ville d'Armero, en Colombie, fut rasée par de gigantesques lahars descendus du Nevado del Ruiz à la vitesse de 30 km/h environ.

☐ Les tsunamis sont des raz-de-marée consécutifs à une éruption volcanique, se produisant en bord de côtes et modifiant brutalement sa morphologie. L'éruption du Krakatau (Indonésie) déclencha en 1883 un tsunami qui déferla sur l'île proche de Java, entraînant la mort de 36 000 personnes.

☐ De manière générale, les éruptions les plus dangereuses sont les nuées ardentes et les lahars. Les coulées de lave, bien que spectaculaires, sont rarement meurtrières.

La prévision des phénomènes volcaniques

☐ La prévision volcanique se fonde sur la connaissance de l'histoire du volcan. Celle-ci peut être reconstituée à l'échelle historique grâce aux témoignages. Les dépôts volcaniques sont aussi des archives, de nature géologique, qui permettent de préciser les témoignages et révèlent les éruptions plus anciennes.

☐ De nombreux pays confrontés aux risques volcaniques ont développé des programmes de surveillance pour les volcans les plus menaçants. La prévision à long terme consiste à ausculter en permanence le volcan, de façon à en percevoir le réveil éventuel. La prévision à court terme vise à comprendre le scénario de l'éruption, une fois celle-ci déclenchée. Les signes avant-coureurs du paroxysme sont enregistrés et interprétés, autant que possible, à la lumière de l'histoire du volcan. L'estimation du risque volcanique conduit à établir, pour un volcan, une carte des zones à risques. Celle-ci est dressée à partir d'observations géologiques minutieuses, visant à reconstituer le déroulement des éruptions passées. Ces reconstitutions nécessitent une connaissance aiguë des phénomènes éruptifs.

LA SURVEILLANCE D'UN VOLCAN

■ L'observatoire volcanologique

Les observatoires volcanologiques ont pour vocation d'améliorer les connaissances sur l'état d'un volcan, de suivre son évolution et d'en étudier les manifestations éruptives. Leur mission est donc double, recherche et surveillance. Le premier observatoire a été créé en 1841 pour le Vésuve. L'observatoire de la Montagne Pelée, en Martinique, a été construit en 1903, à la suite de l'éruption dévastatrice de 1902. Dans le monde, plus de cent cinquante volcans sont ainsi surveillés par des observatoires réalisant des contrôles plus ou moins complets.

■ Les phénomènes liés à la montée du magma

La surveillance des volcans repose sur l'enregistrement et l'interprétation des phénomènes qui accompagnent la montée du magma vers la surface. Cette montée est marquée de nombreux petits séismes, enregistrés par des sismomètres. La mise en place du magma provoque des déformations de l'édifice volcanique, repérées par un ensemble d'appareils comme les inclinomètres (qui mesurent avec une grande précision les variations de pente), les distancemètres (qui mesurent la distance séparant deux points) et les extensomètres (qui mesurent l'ouverture des fissures). La montée du magma entraîne aussi des variations du champ magnétique, enregistrées par des magnétomètres. Enfin, l'ascension du magma peut être précédée d'émissions de gaz dont les analyses fournissent de précieuses informations. Trois observatoires volcanologiques, équipés d'un réseau d'appareils, surveillent ainsi les volcans actifs des DOM, la Montagne Pelée en Martinique, la Soufrière en Guadeloupe et le Piton de la Fournaise à la Réunion.

Les signes précurseurs d'une éruption

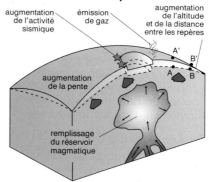

Les réseaux de surveillance de la Montagne Pelée

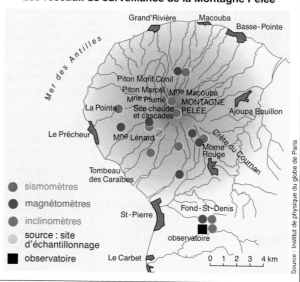

Source : Institut de physique du globe de Paris

LES MILIEUX DE VIE
L'ATMOSPHÈRE
LES EAUX
FLORE ET FAUNE
LES RISQUES
LES ÉVOLUTIONS

Les risques en zone montagneuse

Les principaux risques sont les mouvements du sol (éboulements, glissements de terrain) et les avalanches. La prévention repose sur la mise en place d'aménagements et l'information.

Les mouvements de terrain

☐ Les mouvements de terrain correspondent à des glissements, à des éboulements ou à des affaissements de masses rocheuses sous l'effet de la pesanteur. Ils constituent des dangers lorsqu'ils se produisent sous forme d'événements soudains et spectaculaires. Ils traduisent l'instabilité des versants, accrue par la présence de roches argileuses, gorgées d'eau, ou de roches fracturées.

☐ Ces mouvements de terrain ont touché 632 communes entre 1982 et 1994. Certaines zones, susceptibles de produire de glissements de grande ampleur, sont particulièrement surveillées : ainsi la vallée de Saint-Étienne-de-Tinée, dans les Alpes-Maritimes, est-elle menacée par un versant très instable, s'étendant sur plus d'un kilomètre de long et 600 mètres de dénivelé (glissement de la Clapière). Les communes de Barcelonnette dans les Hautes-Alpes, de Nantua dans l'Ain ou de Séchilienne en Isère montrent aussi des zones très préoccupantes.

Les avalanches

☐ La protection contre les avalanches se fonde d'abord sur la connaissance de leur localisation, qui fait appel aux témoignages du passé. La protection repose sur la construction d'ouvrages destinés à détourner, freiner ou arrêter les coulées neigeuses.

☐ Une autre approche consiste à empêcher le déclenchement de l'avalanche en favorisant la fixation de la neige par le développement de zones boisées, la création de terrasses ou la construction d'ouvrages paravalanches qui retiennent la neige.

☐ Enfin, les stations de ski pratiquent fréquemment le déclenchement préventif des avalanches : les pentes dangereuses sont purgées de leur excès de neige grâce à des charges, souvent véhiculées le long de câbles transporteurs d'explosifs (ou Catex).

☐ Les bulletins nivo-météorologiques délivrent des informations quotidiennes estimant, en particulier, le degré du risque d'avalanche par rapport à une échelle européenne.

Indice de risque	Stabilité du manteau neigeux	Probabilité de déclenchement
1 (faible)	Manteau bien stabilisé dans la plupart des pentes	Déclenchements d'avalanches possibles dans de très rares pentes raides, par des skieurs groupés
2 (limité)	Manteau modérément stabilisé	Déclenchements d'avalanches possibles, surtout par des skieurs groupés
3 (marqué)	Manteau faiblement stabilisé	Déclenchements d'avalanches possibles, parfois même par faible surcharge
4 (fort)	Manteau très faiblement stabilisé	Déclenchements d'avalanches possibles, même par un skieur isolé, dans la plupart des pentes suffisamment raides
5 (très fort)	Instabilité généralisée du manteau	Grosses avalanches, y compris en terrain peu raide

L'ÉTAT DE CATASTROPHE NATURELLE

■ Législation des catastrophes naturelles

La France est affectée chaque année par un ensemble de phénomènes naturels à l'origine de dégâts parfois importants. La notion de catastrophe paraît mal définie.

Du point de vue administratif, cette notion a été précisée dans la loi du 13 juillet 1982 relative à l'indemnisation des victimes de catastrophes naturelles. D'après cette loi, « sont considérés comme les effets des catastrophes naturelles [...] les dommages matériels directs ayant eu pour cause déterminante l'intensité anormale d'un agent naturel, lorsque les mesures habituelles à prendre pour prévenir ces dommages n'ont pu empêcher leur survenance ou n'ont pu être prises. » L'une des ambiguïtés de la définition tient surtout à la reconnaissance du caractère anormal d'un agent naturel, dont la nature possible n'est d'ailleurs pas précisée dans le texte. Les inondations s'inscrivent ainsi souvent en catastrophe naturelle alors que leur caractère anormal peut être discuté. Enfin, on peut parfois s'interroger sur l'origine des dégâts (à l'image des ruptures de digues), qui pourront, selon les cas, être considérés comme résultant de l'intensité anormale de l'agent (crue exceptionnelle) ou d'un simple défaut de mesures préventives élémentaires (défaut d'entretien des digues).

■ Déclaration de l'état de catastrophe naturelle

La constatation de l'état de catastrophe naturelle est une décision des pouvoirs publics et fait l'objet d'un arrêté interministériel, publié au *Journal officiel*. Les informations récoltées sur l'événement peuvent conduire le préfet à demander le classement en catastrophe naturelle. Le ministère de l'Intérieur saisit alors la commission interministérielle chargée du décret. Depuis 1982, 30 000 communes, pour certaines plusieurs fois, ont été reconnues sinistrées au titre de cette loi.

■ Assurances des catastrophes naturelles

Les inondations catastrophiques de 1981 et 1982 sont pour une large part à l'origine de la loi du 13 juillet 1982 qui fait obligation légale d'assurance des catastrophes naturelles. Celles-ci, dont l'évaluation des dégâts est *a priori* impossible, étaient jusqu'alors exclues des contrats d'assurance et laissaient totalement démunies leurs victimes. Tous les contrats d'assurances comportent aujourd'hui la garantie des dommages matériels et des pertes d'exploitation causées par les catastrophes naturelles. Le financement des indemnités est assuré en imposant à tous les contrats une prime supplémentaire dont le taux, identique quelle que soit la zone occupée, est fixé par les pouvoirs publics. L'État apporte sa garantie aux assureurs par l'intermédiaire de la Caisse centrale de réassurance.

■ Indemnisation des catastrophes naturelles

Le déclenchement de ces garanties est subordonné au classement de l'événement en catastrophe naturelle, qui se fait de manière indépendante des assureurs. Le dispositif de protection a été étendu aux départements d'outre-mer par une loi promulguée le 25 juin 1990. Malgré ces dispositifs, il reste que les indemnités ne sauraient jamais couvrir tous les préjudices subis.

LES MILIEUX DE VIE

L'ATMOSPHÈRE

LES EAUX

FLORE ET FAUNE

LES RISQUES

LES ÉVOLUTIONS

Protection des populations

La prévention des risques naturels nécessite que soient reconnues les zones exposées et que soient pris en compte les dangers potentiels dans l'établissement des plans d'occupation des sols. L'aménagement du territoire doit ainsi concilier les impératifs économiques et les exigences des environnements naturels.

Les POS ou plans d'occupation des sols

☐ Les plans d'occupation des sols ont pour objet de déterminer l'utilisation des différentes surfaces, notamment en délimitant les zones susceptibles d'être urbanisées, éventuellement sous certaines conditions, et les zones inconstructibles. Les lois de décentralisation confèrent à la commune et au maire la responsabilité de l'établissement et de la mise en œuvre des POS. La loi du 22 juillet 1987 fait obligation au maire d'intégrer les risques naturels dans tout projet d'urbanisme. Le préfet, représentant de l'État, doit porter à la connaissance de la commune les informations qu'il détient, relatives à l'existence de risques naturels.

☐ Les risques naturels font parfois l'objet d'études spécifiques de services de l'État, donnant lieu à différents types de documents : les plans de surfaces submersibles (PSS), souvent négligés, ont pour objet de guider les aménagements le long des cours d'eau pour préserver leurs conditions d'écoulement. En montagne sont dressées des cartes de localisation probable des avalanches (CLPA), basées en particulier sur les témoignages historiques. Celles-ci seraient à terme au nombre de 35 au 1/25 000e. En outre, ces risques sont étudiés dans les plans des zones exposées aux avalanches (PZEA), qui distinguent des zones rouges inconstructibles, des zones blanches présumées sans risque et des zones bleues de danger limité, constructibles sous certaines réserves.

☐ De manière plus générale, le préfet peut aussi prendre des arrêtés délimitant des périmètres de risque autour de secteurs particulièrement menacés. Enfin, il a pour devoir de vérifier la prise en compte des risques naturels dans les POS établis, pouvant éventuellement émettre un avis défavorable et saisir le tribunal administratif s'il estime les dangers insuffisamment considérés.

☐ La loi de juillet 1987 donne aussi obligation au préfet et au maire d'établir des documents d'information relatifs aux risques naturels (et technologiques) et consultables par chacun en mairie. Un arrêté de 1993, s'inspirant de la directive européenne Seveso de 1982, impose de délivrer une information préventive aux personnes potentiellement exposées à un risque.

La protection des populations

La protection des personnes et des biens est sous la responsabilité de l'autorité municipale qui a, outre la charge de prévenir les risques, celle d'organiser les secours en cas d'accident. Lors d'une catastrophe, le maire peut faire appel au préfet, susceptible de fournir des moyens de secours beaucoup plus importants. Le préfet prend la direction des secours en déclenchant le plan Orsec (ORganisation des SECours). L'ampleur de la catastrophe peut conduire à la mise en œuvre de moyens accrus, de l'échelle du département à l'échelle nationale (mise en jeu de moyens militaires).

■ Les objectifs des PER

Les plans d'exposition aux risques s'inscrivent dans une politique de prévention des risques envisagée dans la loi du 13 juillet 1982 : « L'État élabore et met en œuvre des plans d'exposition aux risques naturels qui déterminent les zones exposées et les techniques de prévention à y mettre en œuvre tant par les propriétaires que par les collectivités locales. Ces plans valent servitude d'utilité publique et sont annexés aux plans d'occupation des sols. » Les conditions de leur réalisation ont été précisées par un décret de 1984. Il s'agit de dresser la cartographie des risques pouvant affecter une zone exposée. D'après les études effectuées à l'époque, l'établissement de PER devait concerner plus de 10 000 communes, menacées par les inondations, les mouvements de terrains, les séismes ou les avalanches, et dont 3 000 étaient jugées prioritaires. Outre la prévention, la création des PER avait pour souci de réduire autant que possible les dégâts couverts par les assurances. La cartographie précise des risques pourrait cependant conduire à un effet en contradiction avec l'esprit essentiel de la loi, en permettant de moduler l'importance des primes d'assurances selon la zone considérée.

■ L'établissement des PER

La réalisation d'un PER conduit à estimer la probabilité de survenue d'un événement potentiellement dangereux, ce qui conduit à définir des zones d'aléa nul, faible, moyen ou fort, et pose le problème d'une quantification des risques, sous-estimés par les uns ou surestimés par d'autres, au gré des compétences et des intérêts.

Les PER envisagent la vulnérabilité de chaque zone en chiffrant les dommages susceptibles d'être engendrés par chaque niveau d'aléa. Les résultats conduisent à la distinction des zones différentes, depuis des zones très dangereuses, alors réputées inconstructibles, où la probabilité de survenue du risque et ses effets estimés sont grands, jusqu'à des zones moins ou non exposées, où le risque, bien que non nul, se situe en deçà d'un seuil acceptable.

■ Le bilan actuel des PER

La réalisation d'un PER mis en œuvre par l'État est apparue, pour la plupart des communes concernées, comme un exercice souvent laborieux et dont le financement reste difficile. L'achèvement du PER nécessite son approbation par le conseil municipal, ce qui est loin d'être toujours le cas du fait de ses directives contraignantes. Le plan est alors en suspens ou peut être en dernier recours jugé par le Conseil d'État. Ces raisons expliquent que l'établissement d'un PER prenne en moyenne cinq ans et demi, qu'il n'ait été engagé jusqu'en 1994 que dans 700 communes, et approuvé seulement dans 307 d'entre elles ! Il apparaît donc que la mise en place des PER se heurte à de nombreuses difficultés. Celles-ci ne doivent cependant pas conduire à renoncer à une véritable politique de prévention.

Un autre programme de prévention, engagé au cours des années 70, a depuis été abandonné. Il s'agissait de l'établissement de cartes Zermos (zones exposées aux risques de mouvements du sol et du sous-sol), qui présentaient un zonage des risques. Seulement 27 cartes au 1/25 000ᵉ ont été dressées, essentiellement dans les Alpes.

Le bruit

> Le bruit constitue l'une des nuisances majeures des environnements urbains. Les sources de bruit sont multiples, les principales étant liées aux transports (circulation routière, transport aérien). Le bruit a une grande influence sur la santé et peut être à l'origine de troubles importants.

Les bruits et leur mesure

Un bruit correspond à un ensemble de sons perçus par l'organisme comme une sensation désagréable et gênante. Un son est une vibration de l'air, se déplaçant à la vitesse de 343 mètres par seconde, et dont on peut définir la fréquence et l'intensité. La fréquence, mesurée en hertz (Hz) mesure la hauteur du son et est d'autant plus élevée que celui-ci est aigu. La nuisance sonore est estimée en décibels (dB), la valeur 0 correspondant à la limite de perception de l'oreille. Il faut surtout se souvenir que, dans cette échelle, toute augmentation de 3 dB traduit un doublement du niveau sonore. Par ailleurs, la perception de celui-ci apparaît accrue pour les fréquences les plus basses et les plus hautes. La nuisance d'une source de bruit diminue avec la distance, un doublement de celle-ci s'accompagnant d'une réduction de 5 à 6 dB environ.

Les effets des bruits et leur prévention

☐ La nocivité d'un son dépend d'abord de son intensité, qui devient dangereuse à partir de 85 à 90 dB, valeurs pour lesquelles se développent les premiers dommages auditifs. Elle dépend également de la fréquence et du rythme d'application (répétition obsédante ou survenue inopinée de certains bruits). Les deux conséquences majeures d'une exposition prolongée au bruit sont, d'une part, le développement d'une surdité et, d'autre part, l'apparition de différents troubles nerveux.

☐ Les surdités causées par le bruit s'observent dans certains environnements industriels dont le niveau sonore provoque des dommages, voire une destruction des cellules auditives de l'oreille interne. Ces surdités, dont certaines sont reconnues comme maladies professionnelles, s'installent de manière lente, irréversible et peuvent continuer de s'aggraver même après suppression des causes. Leur prévention nécessite un suivi régulier des personnes exposées et l'arrêt de l'exposition aux nuisances dès les premiers troubles. Ceux-ci peuvent correspondre à l'apparition d'un trou auditif vers la fréquence de 4 000 Hz, où les sons ne sont plus entendus qu'au-delà d'une intensité anormalement forte. Ces troubles peuvent disparaître avec l'arrêt des nuisances sonores. Dans le cas contraire, la surdité s'accroît, notamment dans l'intervalle de fréquences correspondant à la parole (1 000 -2 000 Hz).

☐ Le bruit est également susceptible d'amoindrir les capacités de concentration et de réflexion. Il perturbe le sommeil, même si l'accoutumance permet finalement celui-ci dans un environnement bruyant, et aggrave les états irritables ou dépressifs.

☐ La lutte contre le bruit fait l'objet de réglementations rigoureuses. Les progrès techniques ont permis de réduire les nuisances industrielles et d'améliorer l'isolation phonique des habitations. Divers aménagements (murs antibruit, couverture des voies…) visent à atténuer les troubles liés aux transports.

LES NUISANCES SONORES

■ Les bruits des transports

Les transports routiers constituent une source majeure de bruit. Les nuisances dépendent de la densité du trafic, de la vitesse des véhicules, de la proportion de poids lourds et de la qualité du revêtement. Les recherches conduites permettent une diminution significative des nuisances : ainsi, la mise au point de nouveaux bitumes pourrait, par exemple, permettre de gagner 3 dB, ce qui équivaut à une circulation divisée par deux. La réduction de la vitesse diminue de manière significative les nuisances sonores. Enfin, des arrêtés municipaux peuvent réglementer ou interdire l'usage des avertisseurs sonores. La lutte contre la pollution sonore passe également par un ensemble d'aménagements comme la construction de déviations urbaines, le développement des transports en commun ou la création de zones piétonnes… Les aéroports constituent d'autres environnements soumis à des nuisances sonores importantes, même avec les progrès réalisés dans la construction des moteurs.

■ Les baladeurs

Actuellement se multiplient les mises en garde concernant les baladeurs utilisés de manière immo-dérée par les adolescents. Les études récemment conduites montrent, de manière alarmante, les dégâts auditifs que peuvent causer leur usage excessif, en durée et en intensité. La vente des baladeurs a récemment fait l'objet d'une réglementation visant à interdire les appareils d'intensité supérieure à 100 dB.

L'échelle des bruits

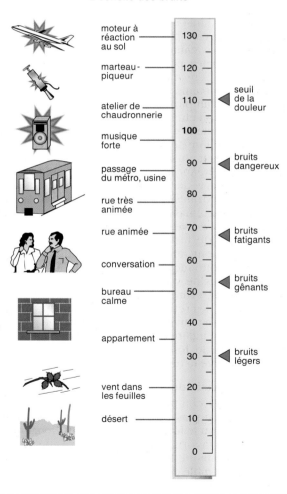

	dB	
moteur à réaction au sol	130	
marteau-piqueur	120	
atelier de chaudronnerie	110	seuil de la douleur
musique forte	**100**	
passage du métro, usine	90	bruits dangereux
rue très animée	80	
rue animée	70	bruits fatigants
conversation	60	
bureau calme	50	bruits gênants
	40	
appartement	30	bruits légers
vent dans les feuilles	20	
désert	10	
	0	

LES MILIEUX DE VIE

L'ATMOSPHÈRE

LES EAUX

FLORE ET FAUNE

LES RISQUES

LES ÉVOLUTIONS

Les substances toxiques pour l'homme

Par l'air qu'il respire, les aliments et l'eau qu'il ingère, l'homme est exposé à de multiples substances ; certaines peuvent avoir des effets toxiques à plus ou moins long terme.

Les métaux lourds

☐ Certains métaux lourds constituent des oligo-éléments indispensables à l'organisme. D'autres ont rapidement des effets toxiques, comme le plomb, le mercure ou le cadmium, très présents dans l'environnement. Les métaux lourds sont d'autant plus dangereux qu'ils se concentrent le long des chaînes alimentaires.

☐ Le plomb ingéré peut être contenu dans les aliments ou les eaux ayant circulé dans certaines canalisations. Rejeté par les combustions automobiles, il est contenu dans les poussières des villes et contamine les surfaces exposées. Il constitue ainsi une menace pour les enfants, susceptibles de l'inhaler ou de l'ingérer avec leurs mains salies. Enfin, il était autrefois utilisé dans certaines peintures dont le goût était parfois prisé des jeunes enfants.

☐ L'intoxication chronique par le plomb est le saturnisme, reconnu comme maladie professionnelle dans certaines activités. Elle se caractérise par l'apparition de douleurs abdominales et peut conduire à une paralysie des avant-bras, empêchant de relever la main. L'intoxication s'accompagne d'une atteinte des globules rouges, provoquant une anémie. Chez l'enfant, plus fragile, les troubles sont principalement nerveux : le plomb affecte la circulation céphalique et, par suite, les fonctions cérébrales (retard de développement, mémoire affaiblie…). Les dérivés organiques du plomb (plomb tétraéthyle utilisé dans les carburants) ont des effets neurotoxiques graves.

☐ La toxicité du mercure est apparue clairement après des empoisonnements ayant gravement affecté les populations de Minamata, au Japon, qui consommaient en abondance poissons et coquillages dans lesquels se concentraient les rejets d'une usine voisine. Les composés organiques du mercure sont les plus toxiques et déterminent des troubles très variés (atteintes nerveuses…) avec, chez l'enfant, des retards de développement. Franchissant le placenta, les composés du mercure peuvent affecter le fœtus.

☐ Le cadmium ingéré dans l'alimentation peut s'accumuler dans le foie et les reins dont il altère le fonctionnement. Cette accumulation entraîne également des troubles au niveau du squelette.

Les pesticides

Les pesticides comprennent de très nombreuses molécules pouvant avoir des effets très toxiques sur l'homme. Certains, comme l'insecticide DDT (interdit depuis 1972) ou le fongicide hexochlorobenzène (interdit depuis 1981), sont susceptibles de favoriser les mutations (effet mutagène) à l'origine de cancers. D'autres, comme le lindane, ont des effets toxiques sur les poumons. Enfin, les dioxines, ensemble de molécules chlorées, sont des constituants très dangereux, à l'origine de troubles divers : lésions cutanées, cancers, malformations fœtales…

LES DANGERS DE L'AMIANTE

■ Utilisation de l'amiante

L'amiante (ou asbeste) désigne diffé-rents minéraux fibreux (chrysotile, prin-cipalement) exploités depuis le milieu du siècle dernier en raison de leurs pro-priétés remarquables : ils résistent très bien aux hautes températures (jusqu'à 800 °C) et, par suite, au feu, possèdent de surcroît un fort pouvoir d'isolation thermique et phonique, et offrent une bonne résistance à la traction.

L'utilisation de l'amiante comprenait deux grands secteurs d'activités : 95 % de l'amiante était transformée en amiante-ciment utilisée dans le bâti-ment (plaques ondulées, ardoises ciment…). La projection ou flocage de l'amiante sur les parties métalliques des constructions était interdite depuis 1978. Les 5 % restants correspondaient à l'amiante manufacturée, entrant dans un ensemble de produits très divers : isolation thermique ou électrique (grille-pain, plaques isolantes de faux-pla-fonds), produits textiles (combinaisons ignifugées…), pièces mécaniques de friction (garnitures et plaquettes de freins, disques d'embrayage…).

■ Les risques liés à l'amiante

Les maladies liées à l'amiante affectent l'appareil respiratoire. Les particules inhalées, très fines (longueur 5-200 micromètres, diamètre < 3 micro-mètres), se déposent dans les poumons et déterminent de graves troubles, dont l'apparition peut être différée de 15 à 50 ans ! L'asbestose correspond à des lésions des alvéoles pulmonaires. Elle entraîne souvent des insuffisances res-piratoires et cardio-vasculaires graves et n'offre aucun traitement. Les bronches peuvent également être atteintes, avec le développement de cancers broncho-pulmonaires résultant souvent d'une complication de l'asbes-tose. Enfin, l'amiante peut déterminer, après un temps de latence particulière-ment long, des cancers de la plèvre ou mésothéliomes, particulièrement dan-gereux et qui apparaissent spécifique-ment liés à une exposition passée à l'amiante. Les populations particulière-ment menacées sont les ouvriers (et leurs proches) ayant travaillé dans les usines ou le flocage d'amiante, les ouvriers de maintenance des bâtiments contenant de l'amiante ou simplement leurs occupants. On observe actuelle-ment une augmentation des mésothé-liomes (de 500 à 1 000 cas selon la Direction générale de la santé) qui pourrait conduire, selon certains chercheurs, à plus de 10 000 décès en 2020. Seuls une soixantaine de cas ont pour l'instant été reconnus comme maladies professionnelles, notamment en raison du temps de latence très long.

■ La prévention

La prévention des risques impose d'abord le recensement des bâtiments floqués à l'amiante et, pour ceux-ci, l'analyse au microscope du flocage et le comptage du nombre de fibres par litre d'air : l'atmosphère est considérée comme non polluée en deçà de 5 fibres par litre. Au-delà de 25 fibres, des tra-vaux de décontamination paraissent urgents. Ils font appel à différentes techniques (emprisonnement étanche du flocage, imprégnation de celui-ci par une résine, ou déflocage définitif, plus sûr mais complexe à conduire). En France, le recensement complet est en cours. L'utilisation de l'amiante (à l'exception de quelques usages très spécifiques) est interdite depuis le 1er janvier 1997.

LES MILIEUX DE VIE

L'ATMOSPHÈRE

LES EAUX

FLORE ET FAUNE

LES RISQUES

LES ÉVOLUTIONS

La radioactivité

L'énergie nucléaire civile est aujourd'hui utilisée dans de nombreux pays dont la France, où elle fournit plus de 75 % de l'électricité. Malgré les progrès technologiques, les industries nucléaires représentent des dangers potentiels qui imposent la recherche d'une sécurité optimale, à défaut d'être absolue.

La désintégration radioactive

☐ La radioactivité correspond à l'émission de particules ou de rayonnements électromagnétiques par désintégration de certains atomes instables, qui se transforment spontanément en d'autres éléments chimiques : ainsi, la désintégration radioactive de l'uranium produit du plomb.

☐ Il existe de nombreux éléments radioactifs naturels, comme l'uranium ou le thorium. Certains éléments radioactifs correspondent à des formes voisines d'éléments stables, ne différant de ceux-ci que par la masse de leur noyau atomique et dont ils sont des isotopes. Ainsi, l'essentiel du carbone dans l'atmosphère est du carbone 12 (12 étant le nombre de masse de l'atome), mais il existe une très faible proportion d'un isotope radioactif, le carbone 14, formé dans la haute atmosphère par effet du rayonnement solaire sur les atomes de carbone 12.

☐ Uranium et thorium sont contenus dans les roches du manteau et surtout de la croûte terrestre (roches magmatiques de type granites, par exemple). Leur désintégration, qui libère de l'énergie, est en large part responsable de la chaleur interne de la Terre et détermine un rayonnement radioactif naturel.

Les caractères des rayonnements

☐ Les rayonnements émis par les éléments radioactifs se distinguent par leur nature et leur énergie. Certains rayons (rayons α), peu pénétrants, sont aisément arrêtés par une feuille de papier et la peau. D'autres, beaucoup plus dangereux (rayons γ), ne peuvent être stoppés que par d'épaisses couches de plomb.

☐ Chaque élément radioactif est aussi défini par sa période, qui correspond à la durée nécessaire pour que soit désintégrée la moitié d'une quantité initiale. Cette période conduit à distinguer des éléments à vie courte, de l'ordre de quelques jours (iode 131 : 8 jours) à quelques années (tritium : 12 ans ; strontium 90 : 28 ans ; césium 137 : 32 ans), des éléments à vie longue dont la période est d'une toute autre échelle, de plusieurs milliers d'années (plutonium 239 : 24 000 ans) jusque au-delà d'un milliard d'années (uranium 238, rubidium 87). Le carbone 14 a une période de 5 730 ans.

☐ L'unité de radioactivité est le becquerel, qui a remplacé le curie et qui correspond à une désintégration par seconde quel que soit le type de rayonnement. L'énergie que le rayonnement confère au corps irradié est estimée par une unité différente, le gray (Gy), qui s'est substitué au rad (1 Gy = 100 rad). Enfin, pour estimer l'effet des rayonnements sur les organismes, qui dépend de la nature du rayonnement, une nouvelle unité a été définie, le sievert, qui prend en compte l'énergie et les caractéristiques des radiations et qui remplace aujourd'hui une ancienne unité, le rem (un sievert (Sv) = 100 rem). La multiplication des unités ne contribue pas à clarifier nombre de discours d'experts.

LES EFFETS DE LA RADIOACTIVITÉ SUR LA SANTÉ

■ Effets immédiats et à long terme

Les rayonnements radioactifs, même s'ils ne sont pas perçus par les récepteurs sensoriels, constituent des dangers bien réels pour la santé. Nos connaissances, encore fragmentaires, résultent de l'analyse d'irradiations programmées (explosions atomiques d'Hiroshima et Nagasaki) ou accidentelles (accident de Tchernobyl, par exemple). Une forte irradiation a des effets immédiats graves, à l'échelle de quelques jours ou de quelques mois, pouvant entraîner la mort. Des doses même très faibles sont susceptibles de modifier, à plus ou moins long terme, le fonctionnement des cellules, provoquant l'apparition de maladies graves comme certains cancers. Les effets à long terme restent mal connus en raison du long temps de latence des maladies. La sensibilité aux radiations est particulièrement élevée chez les enfants.

■ Les dangers des éléments radioactifs

Les éléments radioactifs, même libérés à très faible concentration, sont particulièrement nocifs lorsqu'ils peuvent s'accumuler et se concentrer du fait de leur période dans les différents organismes des chaînes alimentaires. C'est le cas par exemple de l'iode 131, libéré dans l'atmosphère lors des pollutions nucléaires, et qui, ingéré par les bovins, se retrouve avec des concentrations accrues dans le lait.
Les éléments fixés par l'organisme apparaissent particulièrement dangereux, puisque l'exposition aux radiations est ainsi prolongée. La synthèse des hormones thyroïdiennes nécessite de l'iode, ce qui explique que de l'iode 131 accidentellement émis et ingéré soit rapidement fixé par cette glande, où il peut provoquer le développement d'un cancer.

L'ingestion de comprimés d'iode stable, non radioactif, permet, dans une situation accidentelle, de saturer la thyroïde en iode, évitant la fixation de l'élément radioactif. La distribution préventive de tels comprimés à des populations potentiellement exposées (voisinage de centrales nucléaires) fait aujourd'hui l'objet de discussions. Le strontium 90 et le césium 137 sont d'autres constituants fréquents des pollutions nucléaires. Le premier a des propriétés analogues au calcium et peut se fixer dans les os ; le second, voisin du potassium, peut être retenu dans les muscles.

Intensité du rayonnement (en sieverts)	Effets sur la santé
de 0,3 à 1	fatigue, formule sanguine altérée
de 1 à 2,5	troubles sanguins, troubles digestifs
de 2,5 à 4	formule sanguine altérée, vomissements, vertiges, destruction des barrières immunologiques
de 4 à 8	symptômes identiques, mais plus marqués ; mort de 50 % des irradiés
plus de 8	mêmes symptômes ; mort de plus de 90 % des irradiés

LES MILIEUX DE VIE

L'ATMOSPHÈRE

LES EAUX

FLORE ET FAUNE

LES RISQUES

LES ÉVOLUTIONS

Les risques nucléaires

Les pollutions nucléaires correspondent à la libération dans les milieux d'éléments radioactifs très préjudiciables à la biosphère. Elles peuvent affecter des surfaces considérables avec des effets de très longue durée. Aux dangers des accidents nucléaires s'ajoutent les problèmes liés aux déchets nucléaires.

Les sources de pollution

Il existe une radioactivité naturelle liée à l'uranium ou au thorium contenus dans les roches granitiques : la Bretagne connaît une irradiation supplémentaire d'environ 50 % par rapport à l'Ile-de-France. Sans être négligeable, cette radioactivité naturelle reste très faible et, après l'interdiction des explosions atomiques aériennes en 1963, les principaux risques nucléaires sont le fait, d'une part, des centrales en fonctionnement et, d'autre part, des installations de traitement et de stockage des déchets. En fonctionnement normal, les rejets radioactifs des centrales sont très faibles, et le danger potentiel de celles-ci réside donc dans des accidents dont la gravité est codifiée par une échelle. Le plus grave correspond à la fusion du réacteur susceptible de propulser dans l'atmosphère de grandes quantités d'éléments radioactifs de natures très diverses. La gestion des déchets apparaît, dans des conditions normales, comme la principale source de pollution nucléaire. Ceux-ci, concentrant de multiples éléments radioactifs de période parfois longue, constituent des agents polluants à long terme, dont la neutralisation définitive reste pour l'instant irrésolue.

Les normes de radioprotection

La Commission internationale de radioprotection (CIPR) et la loi française fixent respectivement à 1 et 5 millisieverts par an la dose maximale d'irradiation tolérable pour les populations potentiellement les plus exposées (au voisinage d'installations nucléaires, par exemple). Les doses sont étendues à 20 et 50 mSv par an pour les travailleurs de l'industrie nucléaire. Il paraît de toute façon souhaitable, selon les recommandations de la CIPR, de réduire autant que possible l'exposition aux radiations, jusqu'aux seules radiations naturelles (2 mSv par an en moyenne, en France). Par ailleurs, on peut définir la « dose vie entière » qui correspond à la somme des radiations reçue par un individu pendant toute sa vie (calculée sur 50 ans pour l'adulte, 70 ans pour l'enfant). La radioactivité naturelle conduit à une « dose vie entière » d'environ 150 mSv.

Les conséquences écologiques des pollutions

Les éléments radioactifs peuvent circuler dans l'atmosphère ou dans les eaux, directement polluées ou contaminées par les retombées atmosphériques. Les sols constituent des milieux capables de piéger de nombreux éléments radioactifs, engendrant des troubles prolongés pour les végétaux. Les éléments non retenus gagnent les nappes phréatiques. Les dangers sont liés à une exposition directe de l'organisme aux radiations et sont accrus par l'entrée dans le corps d'éléments radioactifs. Cette entrée peut se faire par ingestion de nourriture contaminée, ou à travers le tégument et, pour les animaux aquatiques, à travers les branchies.

LES CENTRALES NUCLÉAIRES

■ La récupération de l'énergie de désintégration

Il existe aujourd'hui différents types de centrales nucléaires. Dans tous les cas, le cœur du réacteur contient du combustible radioactif (oxydes d'uranium, enrichis à quelques pour cent d'uranium 235) dont la désintégration échauffe de l'eau circulant autour des barres de combustible. Dans les réacteurs à eau pressurisée (REP ou PWR), l'échauffement de l'eau conduit, par l'intermédiaire d'un circuit secondaire, à la production de vapeur d'eau, qui met en mouvement des turbines génératrices d'électricité. L'eau du réacteur assure le refroidissement de celui-ci et le contrôle de son activité. Beaucoup de centrales d'Europe de l'Est sont de type eau bouillante-graphite (RBMK), où l'eau sortant du réacteur produit directement de la vapeur. Dans le cas des surgénérateurs, le refroidissement est assuré par du sodium fondu, ce qui accroît les risques d'incendie.

■ L'entretien du fonctionnement d'une centrale

Dans un fonctionnement normal, seule l'eau au contact du combustible peut être contaminée. Son renouvellement périodique peut conduire à des rejets radioactifs très faibles dans le milieu, en deçà de toute norme de radioprotection et tels que les progrès techniques permettent même aujourd'hui de les supprimer. Le cœur du réacteur est entouré d'une enceinte de confinement en béton, visant à contenir les rejets en cas d'accident.

Le combustible devient moins réactif avec le temps et doit donc périodiquement être remplacé (tous les trois ans pour une centrale PWR). Ces déchets sont encore très radioactifs et contiennent une partie de l'uranium 235, du plutonium et un ensemble d'autres éléments (neptunium, curium...). Ils font l'objet de traitements dans des usines spécialisées comme celle de La Hague, en Normandie.

Le fonctionnement d'une centrale nucléaire PWR (ou REP)

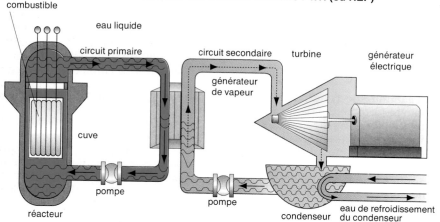

Source : F. Ramade, *Les Catastrophes écologiques*, McGraw-Hill, 1987

Une centrale PWR de 1 000 MW (Mégawatts) contient une quantité de radio-éléments équivalente à 200 bombes de type Hiroshima.

LES MILIEUX DE VIE
L'ATMOSPHÈRE
LES EAUX
FLORE ET FAUNE
LES RISQUES
LES ÉVOLUTIONS

Une catastrophe nucléaire : Tchernobyl

Le 26 avril 1986, à 1 h 43, explosait en Ukraine le réacteur n° 4 de la centrale nucléaire de Tchernobyl. La contamination radioactive initiait une catastrophe écologique majeure.

La contamination radioactive

☐ L'accident est le résultat d'un ensemble d'erreurs humaines aggravées par la conception défaillante du réacteur. Lors d'essais pratiqués cette nuit-là, le réacteur a échappé au contrôle des ingénieurs : en quelques secondes, la puissance libérée a été multipliée par plus de 100, provoquant une hausse considérable de la température. Une succession de réactions chimiques alors incontrôlables entraîna finalement l'explosion et des incendies qui se prolongèrent sur deux semaines. Le cœur du réacteur contenait 192 tonnes de combustible irradié, dont une partie a fondu avant de couler dans le fond du réacteur, alors qu'une autre partie était projetée à proximité de la centrale ou sous forme d'un nuage radioactif, renfermant en abondance des éléments volatils comme de l'iode 131 et du césium 137.

☐ Ce nuage a été détecté par les Suédois le 27 avril et a affecté l'Europe entière. Pour limiter les émissions radioactives et éteindre les incendies, plus de 5 000 tonnes de matériaux absorbants ont été immédiatement largués au-dessus du réacteur, au mépris du danger des radiations. Dans les jours suivants, plus de 100 000 personnes de la région de Tchernobyl et Pripiat ont été évacuées. Des murs bétonnés ont ensuite été construits autour du réacteur, pour confiner les éléments radioactifs restés en place (les deux tiers du césium 137 et la quasi-totalité des éléments lourds de type plutonium). Une zone d'exclusion de 30 km autour de la centrale, très contaminée, a été vidée de l'essentiel de ses habitants. La contamination est particulièrement importante au niveau des sols (césium 137 et strontium 90) et atteint également les eaux. La forte irradiation a provoqué d'importants dégâts dans les formations végétales (destruction des forêts de conifères, atteinte des feuillus). Depuis, faune et flore ont repris leur développement, marqué toutefois par l'apparition de nombreuses anomalies (altérations génétiques).

Les conséquences humaines

Le bilan sanitaire de Tchernobyl est encore loin d'être établi. Les premiers sauveteurs ont été fortement irradiés ; selon les chiffres officiels, 240 personnes ont été hospitalisées, dont une trentaine sont rapidement décédées. Les 600 000 liquidateurs, impliqués ultérieurement dans le nettoyage des zones contaminées, ont reçu des radiations moindres mais supérieures à ce qui est normalement reçu au cours d'une vie entière du fait de la radioactivité naturelle. Enfin, plus de 4 millions de personnes vivent encore dans des zones contaminées par du césium, déterminant une « dose vie entière » supérieure à la normale. Il est difficile de chiffrer avec certitude l'impact de Tchernobyl sur le développement des maladies à long terme, de type cancers. On observe cependant une nette augmentation du nombre de cancers de la thyroïde chez l'enfant. Des effets notables sur les leucémies ou d'autres cancers n'ont pour l'instant pas été détectés.

L'IMPACT DE TCHERNOBYL

■ Les émissions radioactives

L'explosion de Tchernobyl a produit un nuage radioactif dont on a pu suivre le déplacement au-dessus de l'Europe. Ce nuage a provoqué des retombées radioactives sur les sols, contaminant pendant un certain temps pâturages et cultures. Des taux de radioactivité mesurés sur des salades ou des épinards dépassaient localement la concentration maximale admissible préconisée par l'Organisation mondiale de la santé. Les productions régionales de lait et de légumes ont été interdites à la consommation pendant quelques semaines, en Allemagne, en Europe de l'Est et du Nord.

■ Les effets de Tchernobyl en France

Le passage du nuage a été rapidement détecté par un ensemble de laboratoires. Mais ce n'est que le 10 mai qu'il a été reconnu officiellement par le Service central de protection contre les radiations ionisantes (SCPRI). L'extension la plus importante a eu lieu le 1er mai, avec une radioactivité en moyenne triple de la normale et multipliée par 60 dans certaines zones. Seuls des laits de chèvre et quelques végétaux analysés dans le Sud-Est ont toutefois dépassé les concentrations admissibles.
Le retard d'annonce a accru la suspicion entourant l'industrie du nucléaire en France et a engendré de nombreuses polémiques, entraînant notamment la création de la CRII-Rad, Commission régionale indépendante d'information sur la radioactivité, nécessaire pour une information diversifiée.

■ Le devenir de Tchernobyl

La centrale de Tchernobyl constitue toujours un danger potentiel. Le réacteur endommagé contient une quantité importante d'éléments radioactifs dont la durée de vie peut dépasser plusieurs dizaines de milliers d'années. Le confinement réalisé dans l'urgence se dégrade, laissant échapper des produits radioactifs vers les nappes d'eaux souterraines. Celles-ci sont également polluées par la contamination importante des sols. Enfin, le maintien en activité du réacteur 3, adjacent au réacteur 4 et qui produit 6 % de l'énergie électrique de l'Ukraine, représente un autre danger potentiel important. L'accident de Tchernobyl a accru les exigences de transparence et accéléré une prise de conscience relative aux dangers de l'industrie nucléaire, notamment en Europe de l'Est.

Le nuage de Tchernobyl sur la France

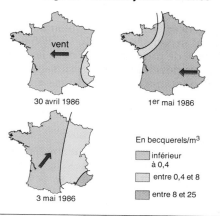

30 avril 1986

1er mai 1986

3 mai 1986

En becquerels/m³

☐ inférieur à 0,4
☐ entre 0,4 et 8
☐ entre 8 et 25

Le nuage sur l'hémisphère Nord (5/5/1986)

LES MILIEUX DE VIE
L'ATMOSPHÈRE
LES EAUX
FLORE ET FAUNE
LES RISQUES
LES ÉVOLUTIONS

Les risques technologiques majeurs

> Les risques technologiques sont les risques liés aux activités industrielles, résultant souvent d'une mauvaise maîtrise des techniques et d'une formation insuffisante des hommes.

Les catastrophes technologiques

☐ Outre les accidents nucléaires (Three Miles Island, États-Unis, 1979, et surtout Tchernobyl, URSS, 1986), des catastrophes industrielles se sont produites ; les plus marquantes ont été celles de Seveso (Italie, 1976) et Bhopal (Inde, 1984).

☐ Le 10 juillet 1976, une explosion dans un réacteur chimique à Seveso (usine Hoffman-Laroche) dans la banlieue de Milan a conduit à la libération d'une substance très toxique, la dioxine, entraîné l'évacuation de plus de 750 personnes hors de la zone contaminée et déterminé le déclenchement ultérieur d'avortements thérapeutiques. La pollution a provoqué la mort de plus de 35 000 animaux. Cet accident a eu un retentissement d'autant plus considérable que la dioxine a été source d'accidents en France lors de l'incendie de transformateurs électriques contenant du pyralène comme isolant.

☐ Le 24 décembre 1984, à Bhopal, en Inde, un nuage toxique d'isocyanate de méthyle, issu de l'usine chimique Union Carbide, s'est répandu sur plus de 40 km^2, provoquant plus de 2 000 décès et plus de 60 000 blessés graves (séquelles oculaires et respiratoires…). L'accident a généré une augmentation importante du taux de mortalité fœtale et des aberrations chromosomiques.

L'origine des accidents

Les progrès techniques génèrent sans cesse la création de nouveaux produits dont l'effet est parfois mal apprécié. Les impératifs économiques pèsent de manière importante sur les procédures de sécurité, influant à la fois sur la localisation des installations dangereuses, la formation des personnels, la définition des règles de sécurité et la protection des populations environnantes. Les accidents résultent généralement de la conjonction d'un ensemble de facteurs, associant erreurs et négligences humaines. L'implantation de l'usine de Bhopal au cœur d'une zone fortement urbanisée (plus de 100 000 personnes dans un rayon de 1 km), la grande quantité de produit stocké dans les cuves (supérieure aux maxima pratiqués dans les pays développés), l'insuffisance de la formation des travailleurs et l'absence d'informations des populations expliquent l'ampleur de la catastrophe. Nombre d'accidents accompagnent ainsi les transferts d'activités dangereuses dans des pays moins développés, moins exigeants au plan de la sécurité.

La directive Seveso

Une prise en compte accrue, bien que tardive, des risques technologiques paraît être l'un des rares bénéfices de ces catastrophes. L'accident de Seveso est à l'origine de la directive européenne Seveso, adoptée en 1982, qui impose l'étude attentive des dangers potentiels, l'information des populations autour des sites à risques et l'établissement de plans d'urgence.

■ Les sites industriels

La directive Seveso s'applique en France à plus de 350 sites (chimie, industries pétrochimiques), principalement concentrés au niveau de la Basse-Seine, dans la région lyonnaise (avec Feyzin) et dans les Bouches-du-Rhône (Fos-sur-Mer). Elle ne concerne pas les activités militaires et le stockage des déchets.

■ Les sites nucléaires

Ses 56 réacteurs nucléaires font de la France le deuxième pays du monde pour le nombre et la puissance de ses centrales. Les besoins en eau, nécessaire au refroidissement, déterminent la localisation des installations le long des cours d'eau et du littoral. Les réacteurs sont de type à eau pressurisée. Le surgénérateur Superphénix de Creys-Malville, après un fonctionnement irrégulier, fait l'objet d'une décision de fin d'exploitation. Certaines centrales de 1re génération sont en cours de démentèlement (3 unités à Chinon, 2 à Saint-Laurent, 1 au Bugey, à Chooz ainsi que la centrale des Monts-d'Arrée). Il comprend plusieurs étapes. Le combustible est enlevé et les circuits sont vidangés. Puis les bâtiments sont démontés, à l'exception du réacteur qui ne sera totalement enlevé que dans cinquante ans. Le démantèlement des centrales à eau pressurisée de 2e génération débutera vers 2015. Aux centrales de production s'ajoutent les sites nucléaires de recherche, le traitement et le stockage des déchets, et les installations militaires. Une échelle des accidents a été établie, avec six niveaux de gravité. Deux accidents de niveau 3 se sont produits entre 1984 et 1989, ceux de niveau 2 ont été plus nombreux.

Les sites industriels

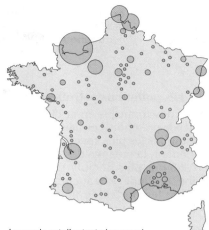

Le cercle est d'autant plus grand que les entreprises soumises à la directive Seveso sont nombreuses dans la région.

Les sites nucléaires

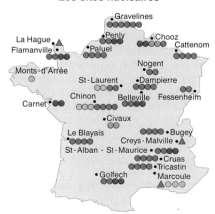

○ centrales nucléaires (nombre de réacteurs)

△ sites CEA, Cogema

● site installé
● site en construction
○ tranches déclassées
● site déclaré d'intérêt public

LES MILIEUX DE VIE
L'ATMOSPHÈRE
LES EAUX
FLORE ET FAUNE
LES RISQUES
LES ÉVOLUTIONS

Le risque pétrolier

Le pétrole est utilisé dans de nombreuses activités industrielles. Son transport constitue toujours une étape à risques. De nombreuses réglementations visent à en améliorer les conditions et la sécurité, mais leur application se heurte souvent à des intérêts économiques, bien dépourvus de préoccupations écologiques.

Les pollutions pétrolières

□ Du fait des tonnages en circulation, le transport du pétrole constitue un danger potentiel de pollution. Les naufrages côtiers générateurs de marées noires en sont les manifestations les plus spectaculaires et les plus néfastes du fait de leur brutalité.

□ Cependant, la vidange des cuves des pétroliers en haute mer, bien qu'interdite, génère 2,5 fois plus de pollution que les marées noires et a finalement, à l'échelle du globe, un impact beaucoup plus grand que ces dernières, très localisées. On admet que les pertes de pétrole en mer dépassent chaque année 6 millions de tonnes, soit environ le millième du pétrole extrait.

Les effets des marées noires

Le pétrole accidentellement déversé s'étale en vastes nappes. Une partie des hydrocarbures, les hydrocarbures légers, plus ou moins importants selon la nature du brut, peut s'évaporer. Le reste se disperse dans l'eau, formant une émulsion. Certains hydrocarbures peuvent sédimenter sur les fonds, contaminant les sédiments pendant des durées variables. La dégradation des hydrocarbures, qui peut s'étendre sur plusieurs mois, résulte de phénomènes physiques (photo-oxydation) et biologiques, par action des bactéries de l'eau et des sédiments. Les marées noires affectent de manière considérable les écosytèmes : le pétrole englue les organismes, réduisant leur mobilité et surtout leurs échanges avec le milieu (respiration, nutrition…) ; l'ingestion des hydrocarbures a des effets très toxiques, accrus par des phénomènes de concentration le long des chaînes alimentaires. Les populations les plus touchées sont les algues, les organismes planctoniques et les animaux peu mobiles ou fixés du littoral, comme les mollusques et les crustacés. Les poissons, plus mobiles, paraissent moins sensibles. Les communautés d'oiseaux sont également très atteintes : les oiseaux s'engluent de pétrole en pêchant ou en se reposant. Ils s'intoxiquent en se nettoyant ou meurent de froid, les hydrocarbures ayant dissous les graisses qui recouvrent naturellement leur plumage et qui en assurent l'imperméabilité.

La lutte contre les marées noires

La lutte fait appel à un ensemble de processus dont l'utilisation dépend des conditions de pollution (nature du pétrole, état de la mer…). La mise en place de barrières flottantes circonscrit l'extension de la nappe et permet parfois le pompage du pétrole. On utilise de nombreuses substances chimiques comme les dispersants ou les émulsifiants, qui ont pour effet d'augmenter les surfaces de contact entre les hydrocarbures et l'air ou les bactéries qui les dégradent. Ces substances accroissent cependant la surface des zones polluées et ont parfois des effets toxiques sur la faune et la flore.

LES MARÉES NOIRES

■ La catastrophe de l'Amoco-Cadiz (16 mars 1978)

L'Amoco-Cadiz contenait 220 000 tonnes de brut lorsqu'il s'est échoué devant Portsall (Finistère), après avoir été victime d'une avarie de gouvernail devant Ouessant, plus de 12 heures auparavant. Les discussions entre sociétés de remorquage et armateur ont coûté un temps précieux, chèrement payé ensuite. La nappe de pétrole s'est étendue sur plus de 400 km de littoral, de Douarnenez à Saint-Brieuc. La pollution a eu un impact écologique considérable, notamment sur les mollusques, les crustacés et les oiseaux, étant par exemple responsable de la disparition de 20 à 40 % des pingouins, macareux et guillemots. Elle a paralysé l'économie de la région, largement basée sur l'exploitation des produits de la mer (pêche, conchyliculture et récolte du goémon) et sur le tourisme. Les premières estimations des dommages avoisinaient le milliard de dollars ! La détermination des responsabilités et l'estimation des réparations ont fait l'objet de très longues procédures aux États-Unis. La responsabilité des sociétés d'armement a été reconnue en 1984. Les premières estimations des indemnités, très insuffisantes, furent prononcées en 1988, avant d'être modifiées en 1989 puis en 1992, c'est-à-dire plus de 14 ans après l'accident !

■ La prévention des marées noires

Les catastrophes à répétition ont fait évoluer la législation des différents pays : ainsi, la marée noire de l'Exxon-Valdez en Alaska, très médiatisée aux États-Unis, fut à l'origine d'une nouvelle loi, l'Oil Pollution Act, adopté en 1991, qui accroît sanctions et responsabilités. La prévention des pollutions repose sur une amélioration des règles de navigation, sous l'égide de l'Organisation maritime internationale, et sur la mise en place de moyens d'intervention. Ceux-ci s'inscrivent dans des plans d'intervention rapide, à l'image, en France, des plans Polmar (lutte contre les pollutions marines). Par ailleurs, des conventions internationales ont été mises en place pour développer la coopération entre pays voisins en cas d'accident.

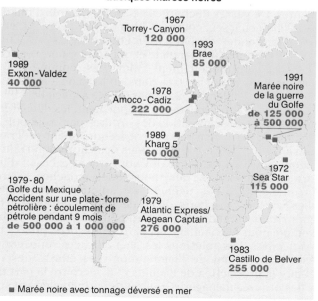

Quelques marées noires

1967
Torrey-Canyon
120 000

1993
Brae
85 000

1989
Exxon-Valdez
40 000

1978
Amoco-Cadiz
222 000

1991
Marée noire de la guerre du Golfe
de 125 000 à 500 000

1989
Kharg 5
60 000

1972
Sea Star
115 000

1979-80
Golfe du Mexique
Accident sur une plate-forme pétrolière : écoulement de pétrole pendant 9 mois
de 500 000 à 1 000 000

1979
Atlantic Express/
Aegean Captain
276 000

1983
Castillo de Belver
255 000

■ Marée noire avec tonnage déversé en mer

LES MILIEUX DE VIE
L'ATMOSPHÈRE
LES EAUX
FLORE ET FAUNE
LES RISQUES
LES ÉVOLUTIONS

Les déchets

L'accroissement de la population et le développement des besoins s'accompagnent d'une production accrue de déchets. La seule ville de New York rejette chaque jour 25 000 tonnes d'ordures ménagères. L'accumulation des déchets pose aujourd'hui un problème d'environnement majeur, difficile à résoudre.

Les différents types de déchets

Les déchets produits par les activités humaines peuvent être d'origines ménagère, industrielle ou agricole (agriculture et industries agro-alimentaires). En France, leur quantité annuelle respective est de 20, 150 et 400 millions de tonnes. À ces rejets s'ajoutent des déchets de types particuliers, comme les déchets hospitaliers (en France, 700 000 tonnes par an) et les déchets nucléaires. Une partie des rejets industriels est constituée par des produits toxiques (plus de 190 millions de tonnes en Europe et par an), comme des solvants, des métaux lourds... Les déchets ménagers comprennent des matières organiques, biodégradables (correspondant aux restes de nourriture), des déchets principalement d'emballage (papiers, cartons, matières plastiques, verre) et des déchets particuliers, potentiellement dangereux, comme les piles au mercure, les médicaments...

Le devenir des déchets

☐ À l'échelle du monde, la production des seuls déchets citadins dépasse, par an, 900 millions de tonnes, ce qui souligne les difficultés de leur élimination. Le stockage dans des décharges à ciel ouvert reste l'une des solutions les plus fréquentes. De vastes décharges ceinturent aujourd'hui de nombreuses villes : plus de 4 000 décharges, couvrant plus de 600 hectares, entourent ainsi Pékin. L'une des plus grandes décharges de France est celle d'Entressen, dans la Crau, qui reçoit les ordures de Marseille et qui doit fermer. Les accumulations de déchets ne sont qu'exceptionnellement valorisées, comme à Tokyo où les déchets non combustibles sont entassés dans un bassin isolé de la baie par une digue et destiné, après comblement, à former une île artificielle.

☐ Dans les pays en voie de développement, les décharges sont les lieux d'une activité de tri et de récupération des ordures par les populations les plus pauvres. Ces accumulations d'ordures posent fréquemment de graves problèmes sanitaires, pouvant provoquer des pollutions des eaux souterraines, des émanations de gaz toxiques ou permettant le développement excessif d'une faune nuisible, parfois porteuse de maladies (rats, moustiques, mouches, cafards...).

☐ L'incinération des déchets est aujourd'hui pratiquée dans de nombreuses villes ; c'est le cas à Paris, où les déchets sont brûlés en totalité dans trois incinérateurs situés en banlieue. L'énergie libérée par la combustion est récupérée, par exemple pour le chauffage urbain, ce qui correspond à la valorisation énergétique des déchets. Les solutions les plus efficaces reposent cependant sur des efforts réalisés en amont de l'élimination. Les efforts des industriels permettent de réduire la production de déchets et d'accroître la part de matières recyclables. Le tri des ordures ménagères, qui repose principalement sur le civisme des individus, permet de séparer les différents types de déchets, pour un éventuel recyclage.

■ Production et élimination des déchets en France

Les Français produisent environ 1 kg de déchets ménagers par jour et par personne. Une part importante des efforts actuels porte sur la valorisation des déchets par recyclage, qui doit réduire de manière considérable les matières finalement admises en décharge. La mise en place de déchetteries et, dans certaines communes, de collectes sélectives des ordures devraient favoriser le développement du recyclage, encore insuffisant. En 1992, le taux de recyclage pour le verre était de 44 %, pour le papier de 39 %. Des structures de valorisation des déchets sont mises en place ; la société Éco-emballage a pour objet la réduction des déchets d'emballage par l'aide à l'équipement des communes. Elle est financée par des industriels producteurs d'emballage. Le recyclage des déchets se heurte à de nombreux problèmes (collecte, traitement industriel de produits triés comme les plastiques...) qui en font une solution souvent plus onéreuse que la production de produits nouveaux.

■ La circulation des déchets à l'échelle mondiale

Les années 80 ont fait apparaître l'existence de trafics importants de déchets entre différents pays, motivés par des législations moins rigoureuses et des coûts moindres d'élimination ou plus souvent de stockage. Cette circulation de déchets, souvent toxiques, s'est principalement établie entre pays riches du Nord et pays pauvres du Sud, comme les pays africains, financièrement intéressés. En 1988, le périple d'un cargo, le Zanoobia, chargé de 500 000 tonnes de fûts toxiques et interdit de déchargement dans de nombreux pays, a ému l'opinion publique et révélé l'importance des trafics. La mobilisation internationale a conduit à l'adoption, en 1989, de la Convention de Bâle sur le contrôle des mouvements transfrontières de déchets dangereux. Ratifiée par plus d'une trentaine d'États, elle est entrée en vigueur en 1992. La Communauté européenne a par ailleurs signé avec de nombreux pays d'Afrique et du Pacifique une convention interdisant totalement l'exportation de produits toxiques et radioactifs. Des législations européennes de 1990 et 1991 recommandent le traitement des déchets sur les lieux les plus proches de leur production. La découverte, en 1992, de déchets hospitaliers allemands en France a souligné l'imperfection de certains dispositifs de contrôle. Enfin, des intérêts économiques freinent l'établissement d'une législation plus rigoureuse sur la circulation de certains déchets, toxiques mais néanmoins recyclables, à destination des pays du Sud, ou, plus proches, de l'est de l'Europe.

Composition des ordures ménagères en France (en millions de tonnes/an)

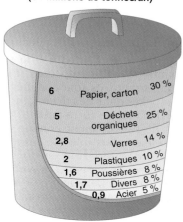

6	Papier, carton	30 %
5	Déchets organiques	25 %
2,8	Verres	14 %
2	Plastiques	10 %
1,6	Poussières	8 %
1,7	Divers	8 %
0,9	Acier	5 %

LES MILIEUX DE VIE
L'ATMOSPHÈRE
LES EAUX
FLORE ET FAUNE
LES RISQUES
LES ÉVOLUTIONS

Les déchets nucléaires

Du fait de leur durée de vie longue, les déchets nucléaires susci-
tent de nombreuses inquiétudes et interrogations. De multiples
études sont actuellement en cours pour envisager des solutions
à des problèmes que recevront immanquablement en héritage
les générations futures.

Nature et origine

☐ Les déchets nucléaires correspondent aux substances dont la radioactivité
interdit le rejet dans l'environnement et qui ne peuvent faire l'objet d'une utilisation ultérieure. En France, ces déchets sont pour l'essentiel (à 95 %) liés à la production d'électricité. Ils proviennent des centrales nucléaires, des usines du cycle
du combustible et des installations de recherche. Il s'agit surtout des déchets de
combustible usé (produits de fission nucléaire résultant de la désintégration de
l'uranium…) auxquels s'ajoutent des matériaux ayant été au contact des substances radioactives (tenues de protection, filtres épurant les eaux…). Une grande
quantité de déchets peut provenir du démantèlement des centrales, dont la durée
de vie prévue est d'environ quarante ans. Ce démantèlement est une opération
longue de quelques dizaines d'années.
☐ La quantité de ces déchets en France est d'environ 1 kg par habitant et par an.
Le reste des déchets (soit environ 5 %) provient, à parts égales, d'activités liées à
la santé (radiologie, radiothérapie…) et de certaines activités agro-alimentaires ou
industrielles.
☐ Les dangers des déchets varient selon la nature du rayonnement et la durée pendant laquelle il est émis par les éléments radioactifs. Intensité du rayonnement et
période conduisent ainsi à distinguer les déchets de faible à moyenne activité,
dont la durée de vie est estimée à quelques dizaines d'années (déchets de type A,
qui représentent, en France, 900 g par habitant et par an), les déchets de moyenne
activité, de durée de vie estimée entre quelques centaines et quelques milliers
d'années (déchets de type B, 95 g par habitant et par an) et les déchets de forte
activité, de durée de vie très longue (déchets de type C, 5 g par habitant et par an).

Le traitement des déchets

☐ Il diffère selon l'activité et la durée de vie des déchets. Les produits de faible
radioactivité sont compactés et mis en fûts métalliques. Si leur radioactivité est
plus importante, ils sont confinés dans des conteneurs en béton. Ces déchets sont
alors stockés dans des décharges normalement très contrôlées.
☐ Les déchets de forte activité et à vie longue proviennent principalement des
usines de retraitement comme celle de La Hague. Ces opérations consistent à
séparer le combustible usé des matériaux irradiés qui l'enveloppaient dans la centrale. Ces derniers sont enrobés dans du béton. Le combustible est alors traité
pour séparer l'uranium et le plutonium, réutilisables, des produits de fission inuti-
lisables. Ces déchets de type C sont placés dans des cuves en acier pendant environ cinq ans avant d'être vitrifiés (c'est-à-dire incorporés dans des blocs de verre)
et entreposés sur place dans des puits bétonnés. Ce n'est après trente ou quarante
ans qu'est prévu leur transfert vers un site de stockage définitif.

LA GESTION DES PRODUITS NUCLÉAIRES

■ Les partenaires impliqués

Les producteurs de déchets nucléaires sont principalement EDF, dont l'électricité est à 75 % nucléaire, le CEA (Commissariat à l'énergie atomique), responsable de nombreuses activités de recherche, et la Cogema (Compagnie générale des matières nucléaires), qui contrôle le retraitement du combustible dans les usines de La Hague (Cotentin) et de Marcoule (vallée du Rhône).

La gestion des déchets est confiée à l'Andra, Agence nationale pour la gestion des déchets radioactifs, créée en 1979 et de statut indépendant des autres organismes. Elle a, entre autres, pour mission de développer les programmes de recherche relatifs au stockage des déchets.

Les activités nucléaires sont contrôlées par les pouvoirs publics avec l'IPSN (Institut de protection et de sûreté nucléaire), la DSIN (Direction de la sûreté des installations nucléaires), qui veille au respect des règles de fonctionnement, l'Opri (Office de protection contre les rayonnements ionisants), attentif aux normes de radioprotection, et les Drire (Directions régionales de l'industrie, de la recherche et de l'environnement), qui assurent le contrôle local. Les inquiétudes générées par les industries nucléaires accroissent les exigences de transparence et d'objectivité de l'information, ce qui a conduit à la création d'organismes d'études et d'informations indépendants comme la CRII-Rad, Commission de recherche et d'information sur la radioactivité, ou le GSIEN, Groupement des scientifiques pour l'information sur le nucléaire. Des études indépendantes, voire contradictoires, sont nécessaires pour identifier des dangers encore mal connus.

■ Le stockage des déchets

Pendant de nombreuses années, la plupart des pays ont rejeté des déchets radioactifs en mer (plus de 150 000 tonnes dans le seul Atlantique Nord). Un moratoire signé à Londres en 1982 a conduit à l'abandon de cette pratique par les pays européens. La Convention internationale de Londres de 1993 prononce l'interdiction totale et définitive de l'immersion des déchets, alors que la Convention de Bâle de 1994 interdit leur transfert vers des pays en voie de développement. En France, les déchets à faible et moyenne activité ont été stockés jusqu'en 1994 dans le département de la Manche, dans un site actuellement fermé mais qui devra rester sous surveillance pendant de très longues années.

En 1992, l'Andra a ouvert un nouveau centre de stockage à Soulaines, dans l'Aube. Le stockage des déchets hautement radioactifs et à vie longue fait aujourd'hui l'objet d'études initiées par la loi du 30 décembre 1991. Celle-ci a engagé un programme de recherche concernant le stockage souterrain des déchets. Deux laboratoires souterrains devraient, d'abord, être implantés dans des sites géologiques reconnus (4 sites ont dans un premier temps été retenus, dans la Haute-Marne, la Meuse, le Gard et la Vienne). Des travaux menés pendant environ quinze ans évalueront la faisabilité du stockage et fourniront les informations permettant au gouvernement et à l'Assemblée nationale de décider, vers 2010, de la réalisation de centres de stockage souterrains. Une autre voie de recherche concerne la transmutation, qui consiste à transformer les éléments à vie longue en d'autres éléments à vie plus courte.

LES MILIEUX DE VIE
L'ATMOSPHÈRE
LES EAUX
FLORE ET FAUNE
LES RISQUES
LES ÉVOLUTIONS

Les risques liés aux biotechnologies

Un ensemble de techniques permet aujourd'hui de modifier les caractères génétiques des organismes. Leurs applications nécessitent toutefois une mise en œuvre prudente et réfléchie.

Biotechnologies et génie génétique

□ Les biotechnologies constituent un vaste ensemble de techniques utilisées dans les industries alimentaires, pharmaceutiques ou agricoles et permettant d'obtenir, par voie biologique, des substances plus nombreuses, plus pures et moins coûteuses que celles obtenues par voie chimique. La production repose sur l'activité d'êtres vivants sélectionnés, souvent des bactéries, capables de fabriquer en grande quantité des produits difficiles à synthétiser par voie chimique.

□ L'une des voies principales correspond au génie génétique, qui modifie le patrimoine génétique d'une cellule en introduisant dans celle-ci un gène provenant d'un autre organisme. Des gènes humains guidant la production de molécules indispensables (hormones, enzymes…) ont ainsi été introduits dans des souches de bactéries ou de levures, qui se multiplient à des vitesses considérables, en fabriquant les molécules recherchées. L'hormone de croissance, l'insuline, la vitamine B12 ou le vaccin contre l'hépatite B sont quelques-unes des molécules produites par des micro-organismes génétiquement modifiés.

Les risques liés aux manipulations génétiques

□ Les organismes génétiquement manipulés sont aujourd'hui très nombreux. Les micro-organismes (bactéries et levures) ont fait l'objet de multiples transformations. Leur impact sur l'environnement paraît négligeable, puisque leur développement est normalement confiné au laboratoire dans des fermenteurs ou des bioréacteurs très contrôlés. La mise en œuvre de précautions strictes et rigoureuses est toutefois nécessaire pour prévenir toute fuite aux conséquences mal appréciées.

□ Les inquiétudes actuelles proviennent surtout de la multiplication des plantes transgéniques (c'est-à-dire dans lesquelles a été introduit artificiellement un gène étranger) lorsqu'elles sont cultivées en plein air sur des parcelles expérimentales. Ces inquiétudes portent sur le passage éventuel des gènes modifiés, depuis les variétés transgéniques jusqu'à des variétés sauvages, ce qui est susceptible d'affecter l'équilibre d'un écosystème. De tels transferts ont récemment été observés sur des variétés de colza sauvage ayant acquis un gène de résistance à un herbicide initialement porté par des plants transgéniques voisins. Les transferts peuvent se faire par l'intermédiaire des grains de pollen et sont favorisés par les insectes pollinisateurs. Ces inquiétudes ont conduit à l'adoption, en 1990, d'une directive européenne subordonnant la mise sur le marché de produits transgéniques à des essais sur le terrain pour estimer leur éventuel impact écologique. En France, les expériences font l'objet d'un contrôle de la part d'une commission de génie génétique et de génie biomoléculaire. Il reste que les risques à long terme ne peuvent jamais être estimés avec précision.

LES ORGANISMES TRANSGÉNIQUES

■ Les organismes transgéniques

Ce sont des organismes dans lesquels a été introduit artificiellement un gène étranger. Les modifications génétiques des bactéries et des levures sont aujourd'hui fréquentes. Les progrès récents ont permis l'obtention d'organismes transgéniques plus complexes, comme les végétaux et les animaux. Les végétaux font depuis longtemps l'objet d'études génétiques visant à engendrer des variétés sélectionnées par réalisation de croisements contrôlés. Il devient possible aujourd'hui de conférer à une variété un caractère spécifique, comme la résistance à un parasite, en lui transférant un gène issu d'une autre plante. Par exemple, certaines espèces de tomates acquièrent une remarquable durée de conservation.

■ Les transferts de gènes chez les mammifères

Les souris sont parmi les animaux les plus utilisés, puisque l'on connaît aujourd'hui plus de 300 lignées transgéniques, porteuses de gènes différents. Par micro-injection, on introduit une très faible quantité de liquide contenant de nombreuses copies du gène à transférer (par exemple, un gène humain) dans des cellules-œufs de souris juste fécondées. Les cellules sont ensuite replacées dans l'utérus d'une souris porteuse, où certaines se développent en embryons. À la naissance, seules quelques souris contiennent en fait le gène que l'on désirait transférer. Elles sont repérées par différentes techniques et sont alors croi-

sées entre elles pour obtenir une descendance et, par suite, une lignée transgénique.

Les souris transgéniques sont particulièrement intéressantes pour la recherche biomédicale. Le transfert de certains gènes humains permet, par exemple, de détecter leur éventuelle implication dans des maladies graves (développement de cancers, de maladies cardio-vasculaires...). En outre, ces modifications génétiques livrent de précieuses informations sur le fonctionnement de gènes et leur régulation. Elles peuvent donner naissance à de nouvelles approches thérapeutiques, comme la thérapie génique, qui consiste à apporter dans une cellule la copie d'un gène initialement déficient.

Ces manipulations génétiques soulèvent des problèmes éthiques, notamment pour les animaux, dont il peut paraître choquant de modifier le patrimoine génétique pour nos seuls besoins. Aux États-Unis, des organismes transgéniques ont fait l'objet de dépôt de brevets commerciaux.

Les animaux transgéniques

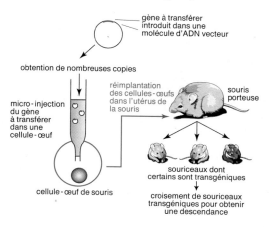

gène à transférer introduit dans une molécule d'ADN vecteur

obtention de nombreuses copies

réimplantation des cellules-œufs dans l'utérus de la souris

souris porteuse

micro-injection du gène à transférer dans une cellule-œuf

cellule-œuf de souris

souriceaux dont certains sont transgéniques

croisement de souriceaux transgéniques pour obtenir une descendance

LES MILIEUX DE VIE

L'ATMOSPHÈRE

LES EAUX

FLORE ET FAUNE

LES RISQUES

LES ÉVOLUTIONS

L'évolution démographique

La population mondiale dépasse aujourd'hui 5,7 milliards d'hommes. Elle a quadruplé en un siècle, pendant que la population des villes était multipliée par dix. Les évolutions démographiques, très différentes d'une région à une autre, ont un impact parfois considérable sur l'environnement.

▬▬▬ L'accroissement de la population mondiale

Le XXᵉ siècle se caractérise par une croissance sans précédent de la population mondiale. Le taux d'accroissement, qui mesure la différence entre taux de natalité et taux de mortalité, a atteint un maximum de 2,1 % par an à la fin des années 60. Au cours des années 80, il était d'environ 1,7 % par an. Il a diminué, depuis 1990, jusqu'à environ 1,5 %, ce qui accroît tout de même la population de 86 millions d'hommes par an et pourrait conduire à environ 8,3 milliards d'individus en 2025 ! Ce ralentissement de la croissance est principalement lié à une baisse de la fécondité dans les pays en voie de développement et se manifeste de manière plus ou moins marquée selon les régions.

▬▬▬ Une densité très inégale

À la surface du globe, la population se distribue de façon très hétérogène. La densité moyenne (44 habitants par km², soit plus de deux hectares [200 x 100 mètres] par habitant) n'a qu'un intérêt limité tant sont grandes les disparités : la densité est de l'ordre de 900 en Île-de-France, elle atteint 4 900 à Singapour ! Certaines régions, indiquées dans la carte ci-dessous, constituent des foyers de peuplement important. De telles concentrations de populations s'accompagnent souvent d'une dégradation générale de l'environnement.

Répartition de la population et prévisions

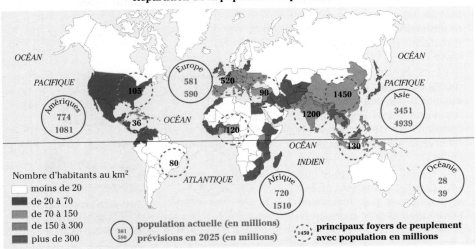

Nombre d'habitants au km²

☐ moins de 20
■ de 20 à 70
▨ de 70 à 150
▨ de 150 à 300
■ plus de 300

(581/590) population actuelle (en millions)
prévisions en 2025 (en millions)

(1450) principaux foyers de peuplement avec population en millions

UNE URBANISATION CROISSANTE

L'évolution des villes

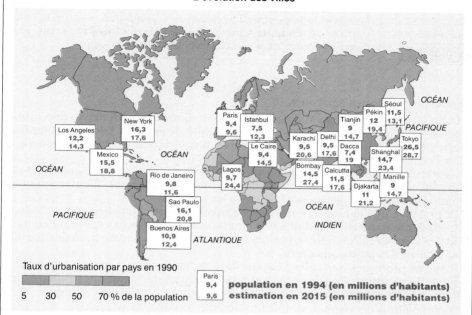

Taux d'urbanisation par pays en 1990

5   30   50   70 % de la population

Paris
9,4
9,6

population en 1994 (en millions d'habitants)
estimation en 2015 (en millions d'habitants)

■ L'urbanisation actuelle

La population urbaine représente actuellement 40 % de la population mondiale. Le taux d'urbanisation, c'est-à-dire la proportion des citadins, est cependant très inégal : il dépasse 70 % en Europe de l'Ouest et en Amérique du Nord alors qu'il est encore de l'ordre de 25 % en Chine et en Inde, ce qui conduit néanmoins à des villes considérables du fait de la masse totale de la population. Le nombre de villes de plus d'un million d'habitants est aujourd'hui de 284. Parmi celles-ci, il y a 22 mégapoles dépassant 8 millions d'habitants, alors qu'elles n'étaient que deux en 1950. Aujourd'hui se forment d'immenses régions urbaines, ou mégalopoles, à l'image de celle qui, de Washington à Boston, comprend New York et Philadelphie.

■ Une croissance continue

Actuellement, la croissance urbaine se poursuit, et des études réalisées par les Nations unies estiment que les villes pourraient concentrer, dans trente ans, environ 60 % de la population. Le nombre des mégapoles, dont la population serait multipliée environ par 3, pourrait atteindre 33 en 2015, 27 d'entre elles se situant dans des pays actuellement en voie de développement.
La croissance urbaine actuelle (et prévue) est cependant très inégale : elle reste forte (environ 4 % par an) dans les pays en voie de développement, où le taux d'urbanisation est encore limité mais où se manifeste un exode rural massif de populations s'accroissant rapidement. Elle devient faible dans les pays développés, déjà très urbanisés et à population faiblement croissante.

LES MILIEUX DE VIE
L'ATMOSPHÈRE
LES EAUX
FLORE ET FAUNE
LES RISQUES
LES ÉVOLUTIONS

L'évolution des paysages agricoles

> Le développement de l'agriculture a peu à peu modifié la couverture végétale. Les méthodes de l'agriculture moderne ont considérablement accéléré l'évolution des paysages.

Les pratiques agricoles

□ Dans la plupart des pays, l'agriculture est aujourd'hui intensive. Elle a pour objet de produire de hauts rendements par unité de surface. Elle se distingue de l'agriculture extensive, pratiquée sur de vastes surfaces, avec généralement de faibles rendements.

□ L'agriculture intensive repose le plus souvent sur une utilisation importante d'engrais. Elle paraît responsable de nombreux problèmes d'environnement comme les pollutions par les pesticides ou les nitrates.

□ La pratique de l'agriculture intensive s'observe aussi dans les pays en voie de développement, où elle conduit à des plantations spécialisées exploitant au maximum les ressources du milieu, parfois au détriment de la satisfaction des besoins alimentaires des pays considérés.

□ D'autres pratiques agricoles, d'apparition récente, restent encore marginales, comme l'agriculture intégrée, qui promeut l'emploi de techniques plus respectueuses de l'environnement : rotation de cultures, utilisation d'engrais verts (décomposition de végétaux), lutte biologique contre les parasites… Ces techniques sont exploitées davantage encore dans l'agriculture biologique.

Les modifications des paysages

□ Les activités agricoles modifient de façon importante les paysages. L'agriculture, apparue au Néolithique, il y a 12 000 ans, a déterminé le défrichement important du couvert forestier. Deux grands types de paysages agricoles s'observent aujourd'hui :

– les paysages de champs ouverts (ou paysages d'openfield) sont, par exemple, ceux des grandes plaines agricoles. Les parcelles cultivées sont généralement de grande taille et se juxtaposent sans que rien ne marque leurs limites. Les surfaces boisées sont réduites au bénéfice des cultures ;

– les paysages de bocage montrent des champs bordés de haies ou de murets de pierre. L'habitat y est généralement dispersé. Le remembrement modifie la distribution des propriétés ; il a pour objet de réduire la dispersion des parcelles afin d'en accroître la superficie et de favoriser ainsi leur exploitation.

□ L'irrigation permet l'amélioration des rendements et la mise en culture de certaines zones pour des espèces données : en France, la surface irriguée, consacrée pour beaucoup à la culture du maïs, a été multipliée par plus de 2 au cours des vingt dernières années et représente aujourd'hui 7 % de la surface agricole utile. Dans certains pays, l'irrigation s'accompagne d'aménagements considérables, allant jusqu'à modifier la morphologie des paysages (construction de terrasses…). L'homme peut aussi créer des milieux artificiels, à l'image des polders, zones cultivées gagnées sur la mer.

HAIES ET REMEMBREMENT

■ Le remembrement

La politique de remembrement a été initiée en France en 1941. 45 % de la surface agricole utile française (soit 14 millions d'hectares sur 31) ont déjà fait l'objet d'un remembrement. Celui-ci se poursuit aujourd'hui, au rythme d'environ 300 000 hectares par an. 20 % des remembrements sont imposés par la construction d'autoroutes ou de voies ferrées. La réorganisation des parcelles dans les pays de bocage s'est pendant longtemps accompagnée d'une destruction importante des haies qui séparaient les champs. Depuis 1945, la Bretagne a ainsi perdu 200 000 kilomètres de haies, soit 40 % du kilométrage initial. Les conséquences écologiques de l'arrachage des haies, mesurées ultérieurement, ont conduit à modifier les pratiques, respectant davantage les haies et allant jusqu'à en replanter.

■ Le rôle écologique des haies

Les haies constituent des écosystèmes caractérisés par la richesse et la diversité de leur flore et de leur faune. Les différentes strates végétales (arbres, arbustes) sont peuplées de nombreux animaux unis par un ensemble de relations alimentaires. Ces végétaux sont source de nourriture (baies, feuilles...) pour les insectes et pour les oiseaux, ce qui les détourne des cultures avoisinantes. Les haies sont aussi des abris pour la nidification ou l'hibernation. Elles abritent de nombreux prédateurs, comme les rapaces, qui limitent la prolifération des animaux nuisibles dans les champs environnants. La présence de haies est susceptible de frei-ner la propagation de certains parasites.

Les haies constituent des brise-vent aux multiples effets : freinant la circulation de l'air, elles réduisent les écarts de température et suffisent parfois à accroître la température moyenne de 2 à 3 °C, ce qui favorise, par exemple, la précocité d'une culture printanière. Réduisant le flux d'air circulant au contact des cultures, elles limitent les pertes d'eau par évapotranspiration. Elles protègent les cultures des actions mécaniques du vent, qui peut, en cas de tempête, coucher les cultures (verse des végétaux) ou éroder les sols.

Les haies représentent des obstacles à la circulation des eaux : elles favorisent l'infiltration des eaux et freinent le ruissellement des eaux en surface, responsables d'une érosion importante des sols. Les crues violentes observées aujourd'hui en Bretagne sont l'une des conséquences les plus apparentes de l'arrachage des haies lors du remembrement. Les haies peuvent limiter les pollutions en réduisant le lessivage rapide des substances épandues et constituent de bons pièges à nitrates.

**La modification
du paysage agraire d'une commune**

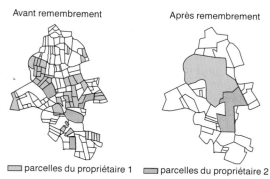

Avant remembrement   Après remembrement

⬜ parcelles du propriétaire 1   ⬛ parcelles du propriétaire 2

LES MILIEUX DE VIE

L'ATMOSPHÈRE

LES EAUX

FLORE ET FAUNE

LES RISQUES

LES ÉVOLUTIONS

L'évolution des forêts françaises

> **Dépassant 14 millions d'hectares, les forêts couvrent environ le quart du territoire français. Après des périodes de défrichement intense, les surfaces boisées augmentent aujourd'hui.**

▬▬▬ L'évolution des surfaces forestières

☐ En l'an 1000, la forêt s'étendait sur plus 18 millions d'hectares, soit environ 30 % de la superficie de la France. Les défrichements ont provoqué un recul constant des surfaces forestières, accéléré par l'augmentation de la population française et de ses besoins (bois de feu, de construction…). L'exode rural, l'utilisation d'autres sources d'énergie ou la réalisation de nouvelles plantations sont parmi les raisons qui expliquent l'accroissement des surfaces forestières au cours de notre siècle.

Histoire de la forêt française

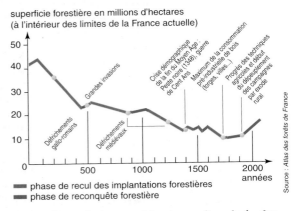

superficie forestière en millions d'hectares
(à l'intérieur des limites de la France actuelle)

■ phase de recul des implantations forestières
■ phase de reconquête forestière

Source : Atlas des forêts de France

☐ Aujourd'hui, les causes importantes de dégradation sont les incendies de forêts, qui détruisent en moyenne 45 000 hectares par an, et les pluies acides, qui provoquent le dessèchement sur place des arbres dans de nombreuses massifs forestiers (Vosges, Jura…). Toutefois, le gain des surfaces boisées pour les dix dernières années est d'environ 25 000 hectares par an.

▬▬▬ L'évolution des peuplements

☐ La forêt française est dominée par les feuillus, qui couvrent environ les deux tiers des surfaces boisées avec principalement des chênes. Les autres espèces bien représentées sont les hêtres et les châtaigniers. Les forêts de résineux sont, par ordre d'importance, des forêts de pins maritimes, de pins sylvestres, d'épicéas et de sapins. Le plus grand massif forestier de résineux est la forêt artificielle des Landes (700 000 hectares de pins maritimes), plantée sous Napoléon III.

☐ L'évolution de la forêt sous l'influence de l'homme est marquée par une modification des peuplements ; lors de reboisements, les espèces naturelles ont souvent été remplacées par des espèces à croissance plus rapide : c'est ainsi que, dans de nombreux cas, les feuillus ont fait place à des résineux, d'exploitation plus rentable. Ces évolutions ont des impacts écologiques considérables : elles réduisent la diversité biologique des forêts ; les arbres introduits, initialement étrangers au milieu, détruisent les équilibres établis de longue date par les espèces initiales, ce qui peut se traduire, dans le cas des résineux par exemple, par une acidification et un appauvrissement des sols forestiers.

FORÊTS ET FRICHES

■ Des successions écologiques

Dans nos régions, l'arrêt d'une culture dans un champ donne rapidement naissance à une friche, qui correspond à une zone reconquise par la végétation naturelle. Cette reconquête est d'abord marquée par le développement de plantes vivaces puis d'arbustes. Au bout de quelques années, le champ a cédé la place à la forêt.

Les différentes formations végétales qui se succèdent en un même lieu définissent une série. Cette série s'achève par une formation qui est en équilibre avec le milieu et ne montre plus d'évolution, du moins à notre échelle de temps. Cette formation correspond à ce que l'on appelle le climax, sous l'influence à la fois du climat et du sol.

■ L'évolution vers la forêt

L'évolution vers le climax peut être observée lors de la colonisation d'un sol initialement nu. Les premiers organismes végétaux qui s'installent sont les végétaux pionniers, d'abord des lichens et des mousses, puis des plantes herbacées. Dans nos régions de plaines, ces groupements herbacés seront remplacés par des groupements arbustifs puis par des forêts d'arbres à feuilles caduques (les chênaies-hêtraies atlantiques) qui représentent le climax. Ces formations étaient celles qui existaient avant le défrichement réalisé par l'homme.

En région méditerranéenne, le climax correspond à la chênaie à chêne pubescent et à chêne vert. En montagne, la colonisation des moraines par des groupements pionniers conduit, au bout de quelques dizaines d'années, à des peuplements dispersés de bouleaux et de mélèzes, accompagnés de rhododendrons. La forêt d'épicéas et de pins, qui représente le climax, mettra plusieurs siècles à atteindre son équilibre.

■ Des évolutions régressives sous l'influence de l'homme

Dans certains cas, l'homme peut être responsable d'évolution régressive, lorsqu'il dégrade la forêt par ses activités. Dans l'exemple représenté ci-dessous, la hêtraie initiale est peu à peu parsemée de clairières, sous l'effet du pâturage. Dans les clairières se développe un taillis de chênes et de noisetiers. Le maintien du pâturage accroît la dégradation : les arbustes sont peu à peu éliminés et remplacés par une pelouse, formation végétale herbacée constituée de graminées. Le sol insuffisamment protégé est menacé par le ruissellement des précipitations, ce qui met à nu les roches et conduit à une végétation encore appauvrie.

L'évolution d'une hêtraie

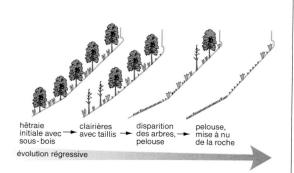

hêtraie initiale avec sous-bois → clairières avec taillis → disparition des arbres, pelouse → pelouse, mise à nu de la roche

évolution régressive

LES MILIEUX DE VIE
L'ATMOSPHÈRE
LES EAUX
FLORE ET FAUNE
LES RISQUES
LES ÉVOLUTIONS

L'exploitation et la gestion des forêts

> La gestion d'une forêt doit généralement concilier les impératifs d'une exploitation rentable, liée à des déboisements, avec le respect des espaces naturels boisés.

La gestion des forêts

☐ Aujourd'hui, 70 % (soit 10 millions d'ha) des surfaces forestières françaises sont des domaines privés. 18 % (2,5 millions d'ha) appartiennent à des collectivités locales (forêts communales), alors que 12 % (1,7 million d'ha) sont des forêts domaniales, appartenant à l'État et gérées par l'ONF, Office national des forêts.

☐ La prise en compte des différents paramètres (production de bois en quantité et en qualité requises, mais aussi maintien de la biodiversité, de la qualité des sols…) conduit à l'établissement de plans d'aménagement forestier, dressant des perspectives à long terme (vingt ans) pour l'évolution d'un peuplement donné. Ce plan de gestion établit un programme de coupes et de travaux d'entretien, en relation avec les recettes et dépenses prévues.

Les taillis

Une forêt peut être exploitée de diverses manières, selon les espèces présentes et les objectifs retenus. Les taillis correspondent à des formations où les arbres se régénèrent par rejets à partir de leurs souches. Cette propriété ne concerne que les feuillus (charmes, chênes…) et ne s'observe pas chez les résineux. La capacité de produire des rejets diminue avec l'âge de l'arbre, ce qui impose de les abattre alors qu'ils sont encore relativement jeunes, entre vingt-cinq et trente ans. Le régime d'exploitation en taillis ne peut ainsi produire que des bois de peu d'intérêt, utilisés autrefois comme bois de chauffage. Il est aujourd'hui pratiquement abandonné.

Les futaies

La futaie est constituée d'arbres, feuillus ou résineux, issus de semis. Elle conduit à des arbres de grande taille et de grand intérêt économique. La gestion d'une futaie s'inscrit dans la durée puisque l'âge d'exploitabilité se situe entre 40 et 100 ans pour les pins maritimes, 100 et 200 ans pour les sapins, 120 et 150 ans pour les hêtres, 150 et 240 pour les chênes. Les régimes d'entretien sont variés :
– la forêt peut être exploitée en taillis sous futaie. Dans ce cas, un taillis issu des arbres abattus est maintenu sous une futaie. À chaque coupe du taillis qui fournit du bois de chauffage, certains arbres, issus de semences, sont épargnés et forment les baliveaux. Les plus beaux sont conservés lors des coupes suivantes jusqu'à atteindre leur âge d'exploitabilité, alors que de nouveaux baliveaux sont à chaque fois sélectionnés. Une forêt ainsi exploitée peut fournir indéfiniment de 1 à 2 m^3 de bois d'œuvre et de 4 à 10 stères de bois de chauffage par hectare et par an ;
– dans de nombreux cas, le taillis est éliminé : ce régime d'exploitation est le régime sous futaie, plus productif, avec environ 4 à 6 m^3 de bois d'œuvre produit par hectare et par an.

L'ENTRETIEN D'UNE FUTAIE

■ La futaie régulière

La futaie régulière correspond à un peuplement d'arbres ayant tous sensiblement le même âge. Le semis initial donne naissance à des formations végétales successives, constituant le fourré (au bout de 10 ans), le gaulis (40 ans), le perchis (60 ans) avant d'atteindre le stade de futaie vers 100 ans. L'homme guide l'évolution vers la futaie en éliminant aux différents stades les essences de moindre intérêt (par exemple, abattage des bouleaux dans une chênaie) et en pratiquant des éclaircies, qui retirent les individus les moins prometteurs. À maturité, la futaie est progressivement exploitée par des coupes espacées pour permettre le début de la régénération.

■ La futaie jardinée

C'est une futaie irrégulière montrant, sur une même parcelle, des arbres de diamètres et donc d'âges différents. La gestion influe alors sur les proportions des différentes classes d'âge en relation avec les objectifs d'exploitation.

De telles futaies irrégulières constituent de belles forêts, dont l'aspect est plus proche des formations naturelles. Formées d'individus plus différenciés, elles apparaissent aussi plus résistantes aux conditions difficiles et s'observent souvent dans les régions de montagnes.

La futaie régulière

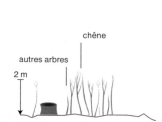

Le fourré (10 ans) : les semis de chênes se sont développés, formant un fourré où se mêlent d'autres arbres et des ronces. Le forestier élimine ceux-ci ainsi que certains chênes.

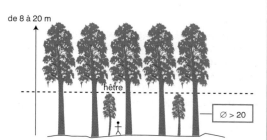

Le perchis (60 ans) : certains arbres se développent mal du fait de la concurrence entre eux. Le forestier pratique des éclaircies, par abattage de certains arbres.

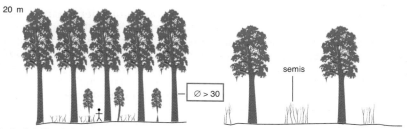

La futaie (100 ans) : le peuplement a atteint sa maturité. Des coupes régulières d'éclaircie assurent des récoltes et favorisent la croissance des individus restants.

La régénération de la futaie : la coupe se fait progressivement, la pousse de nouveaux semis se faisant grâce à des arbres toujours en place. La régénération de la futaie initiale s'est étalée sur 15 à 20 ans.

LES MILIEUX DE VIE

L'ATMOSPHÈRE

LES EAUX

FLORE ET FAUNE

LES RISQUES

LES ÉVOLUTIONS

La déforestation

La destruction frappe particulièrement les forêts tropicales, dont plus de 100 000 km^2 (soit le cinquième de la France) disparaissent chaque année. Ces forêts sont des écosystèmes irremplaçables, qui abritent la moitié des espèces végétales et animales du monde. La déforestation devient une menace grave.

Les causes de la déforestation

□ La déforestation est l'élimination d'au moins 90 % de la couverture forestière sur une surface donnée.

□ L'une des premières causes de déforestation est l'exploitation du bois. Le bois de chauffage (ou bois de feu) constitue encore une source d'énergie importante dans les pays en développement, dont les besoins sont amplifiés par la croissance démographique (60 % de la consommation mondiale de bois).

□ Les forêts tropicales sont également riches en bois précieux (teck, acajou ou balsa) surexploités dans un commerce intense avec les pays développés, en relation avec les difficultés économiques de nombreux pays pauvres.

□ Le défrichement des forêts pour les cultures est une autre cause majeure de la déforestation. Il peut s'agir d'une agriculture itinérante sur brûlis, encore pratiquée dans certaines régions : une parcelle défrichée par incendie est cultivée pendant quelques années avant d'être abandonnée. Dans la plupart des cas toutefois, le défrichement vise à l'obtention durable de terres cultivables. Le surpâturage (ou pâturage excessif) est un autre facteur de disparition des forêts.

□ Les incendies détruisent parfois de vastes surfaces, à l'image de l'incendie qui a ravagé plus de 37 000 km^2 de forêts à Bornéo en 1982-83. 400 000 hectares ont disparu en 1988 dans un incendie frappant le parc de Yellowstone aux États-Unis, alors qu'en France les feux de forêts détruisent environ 45 000 hectares par an.

Les conséquences de la déforestation

□ La déforestation provoque, en premier lieu, la disparition de nombreuses espèces végétales et animales, ce qui réduit la biodiversité des milieux. Les gorilles de montagne du Rwanda ou les lémuriens de Madagascar ont ainsi payé un lourd tribut à l'exploitation forestière. De 4 000 à 6 000 espèces animales et végétales seraient ainsi perdues chaque année.

□ L'exposition des sols nus aux précipitations accroît considérablement l'érosion. Celle-ci conduit à une perte de fertilité du sol, alors inexploitable. Le ruissellement augmente, engendrant des glissements de terrain et des crues fréquentes, rapides et dévastatrices en aval des surfaces déboisées. Les eaux chargées de particules argileuses abandonnent leur charge dans les cours d'eau, ce qui provoque l'ensablement du lit des rivières, notamment au niveau des barrages. L'action des eaux sur le sol nu entraîne souvent le développement d'une cuirasse latéritique sous forme d'une couche superficielle dure.

□ Enfin, la destruction de grandes zones forestières peut modifier localement le climat, avec un réchauffement des sols et une réduction des précipitations. Le défrichement par brûlage gaspille une part importante de bois et représenterait une source importante du dioxyde de carbone rejeté par l'homme.

L'ÉVOLUTION DES FORÊTS TROPICALES

■ Les surfaces tropicales boisées

La disparition des forêts tropicales se poursuit aujourd'hui. Certains travaux, basés sur les évolutions actuelles, fournissent pour les années futures (de 2000 à 2040) des estimations sur les surfaces forestières restantes, en considérant le taux de déboisement actuel (courbe 1) ou au contraire un taux en augmentation de 2 à 3 % (courbes 2 à 4). Cette dernière estimation conduit à une disparition totale des forêts tropicales en 2040 ! Cette évolution est d'autant plus préoccupante que la reconstitution de la forêt sur une surface déboisée par brûlis nécessite plusieurs centaines d'années.

La déforestation en Afrique

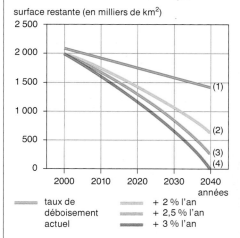

surface restante (en milliers de km²)

taux de déboisement actuel
+ 2 % l'an
+ 2,5 % l'an
+ 3 % l'an

■ L'exploitation de la forêt amazonienne

La forêt amazonienne constitue l'une des formations les plus menacées, perdant environ 8 millions d'hectares par an. La Transamazonienne, longue route de plus de 4 900 km, a ouvert l'accès à de vastes défrichements sur brûlis, pour développer cultures (cacao, café, canne à sucre…) et pâturages, alors que seuls 3 % des sols amazoniens s'avèrent finalement cultivables.

Les conséquences de cette exploitation sont désastreuses pour la biodiversité, l'évolution des sols et du climat. Les forêts tropicales constituent, en effet, de précieux régulateurs de température et de précipitations. Il faut cependant noter que la forêt amazonienne ne représente pas, comme on le pense souvent, un « poumon vert » : les échanges d'oxygène sont équilibrés, l'oxygène libéré par les végétaux verts étant consommé par les processus (respiration des êtres vivants, fermentations) qui minéralisent la matière organique produite.

Déforestation de la forêt amazonienne

Les zones oranges correspondent aux zones défrichées

LES MILIEUX DE VIE

L'ATMOSPHÈRE

LES EAUX

FLORE ET FAUNE

LES RISQUES

LES ÉVOLUTIONS

La qualité d'un sol

Nés de l'altération des roches en surface, les sols constituent des milieux fragiles, peuplés d'innombrables êtres vivants qui décomposent et recyclent la matière organique. Ils sont sources de matières minérales pour les végétaux et constituent des interfaces entre atmosphère, biosphère, hydrosphère et roches.

Les constituants d'un sol

☐ Le sol est la couverture superficielle meuble issue de l'altération des roches en surface sous l'action des facteurs climatiques (précipitations, température...) et des facteurs biologiques (racines des végétaux...). Un sol est structuré en différentes couches ou horizons, de la litière superficielle, formée de débris végétaux et peuplée d'innombrables organismes, à la roche-mère, située plus en profondeur. L'épaisseur, la structure et la composition chimique des différents horizons dépendent de la nature de la roche-mère et des conditions climatiques. Le sol est constitué d'une fraction minérale représentée par des particules de tailles diverses, dont les plus fines sont les particules argileuses. Il comprend aussi une fraction organique, l'humus.

☐ Le sol abrite une très grande diversité d'êtres vivants qui assurent la décomposition progressive de la matière organique de la litière. Une partie de la matière organique est rapidement décomposée, ce qui assure son retour à l'état minéral, notamment sous forme de dioxyde de carbone et de nitrates. L'autre partie est transformée en humus, ensemble de molécules organiques qui ne sera qu'ultérieurement minéralisé.

La fertilité d'un sol

☐ La fertilité d'un sol dépend d'un ensemble de caractéristiques. La structure du sol, c'est-à- dire la manière dont les particules du sol sont disposées, est déterminante ; la structure la plus favorable est dite grumeleuse : elle correspond à la formation de petites mottes terreuses, de quelques millimètres à quelques centimètres, associant minéraux argileux et composés organiques de l'humus.

☐ Ces particules, dites argilo-humiques, retiennent et fournissent les éléments chimiques indispensables aux végétaux. Le sol reste aéré grâce aux espaces situés entre les particules, dans lesquels l'eau nécessaire aux végétaux est retenue.

Le fonctionnement d'un sol

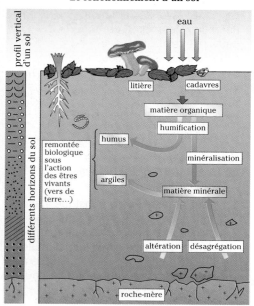

■ L'amélioration des sols

L'amendement est un apport de produits surtout destinés à accroître les qualités du sol en facilitant des réactions entre les constituants du sol ou en corrigeant son acidité. Par exemple, le chaulage (épandage de chaux) assure un apport de calcium qui améliore les capacités de fixation du sol pour les autres ions comme les nitrates, ce qui diminue leur entraînement par les eaux de pluie et, par suite, favorise leur absorption par les racines. Le calcium réduit aussi l'acidité des sols.

La fertilisation consiste en un apport d'engrais pour compenser la carence ou l'insuffisance relative d'un élément nutritif dans le sol. La fertilisation peut être réalisée par fumure organique (épandage de fumier ou de lisier) ou par apports d'engrais minéraux (nitrates, phosphates). L'engrais vert correspond à des plantes cultivées et destinées à être enfouies dans le sol.

Le labour favorise l'ameublissement et l'aération des sols. Les apports d'eau peuvent être ajustés par irrigation (arrosage ou dispositif par goutte à goutte) et par drainage, qui consiste à extraire l'eau en excès d'un sol trop humide. Enfin, la rotation des cultures, qui correspond à une succession déterminée de cultures sur un même sol, permet de lutter contre son appauvrissement : les légumineuses (luzerne), par exemple, enrichissent le sol en azote et sont dites plantes améliorantes.

■ Les jachères

Les jachères sont des terres agricoles temporairement non cultivées. La jachère était autrefois intégrée dans la rotation des cultures qui se succédaient sur une même parcelle, pour reconstituer la fertilité du sol. Elle avait disparu avec les progrès agronomiques et le développement de l'agriculture intensive.

La mise en jachère de terres cultivables redevient toutefois d'actualité dans le cadre de la politique agricole commune (PAC) européenne. En 1993, les surfaces françaises mises en jachère auraient représenté 1,6 million d'hectares sur les 30,4 millions représentant la surface agricole utile. Cette pratique peut générer des problèmes écologiques mal résolus : les terres mises en jachère et autrefois cultivées sont riches en nitrates. En l'absence de plantes, ceux-ci, lessivés en abondance, peuvent polluer les nappes phréatiques. Il est toutefois possible de cultiver certaines plantes autorisées, absorbant des nitrates mais qui ne peuvent être récoltées, ce qui ne modifie donc pas le bilan d'azote à l'échelle de la parcelle. En outre, les parcelles en jachère sont colonisées par des mauvaises herbes dont l'élimination nécessitera de vigoureux traitements lors de la remise en culture au cours de la rotation des parcelles.

■ Pratiques agricoles et pollution des sols

Dans les sols peuvent s'accumuler des métaux lourds (cadmium, plomb, zinc, cuivre…) issus de l'épandage des boues des stations d'épuration ou de certaines pratiques agricoles : par exemple, la bouillie bordelaise, utilisée dans le traitement des vignes contre le mildiou, enrichit à l'excès en cuivre certains sols. Les sols peuvent aussi être le siège d'accumulations toxiques de différents produits phytosanitaires (pesticides, fongicides, insecticides…).

LES MILIEUX DE VIE
L'ATMOSPHÈRE
LES EAUX
FLORE ET FAUNE
LES RISQUES
LES ÉVOLUTIONS

La dégradation des sols

Seul le quart environ de la surface des sols est cultivable. De nombreuses zones cultivées montrent aujourd'hui des signes inquiétants de dégradation des sols. Selon certaines estimations, celle-ci causerait chaque année la perte d'environ 7 millions d'hectares (soit environ la surface de l'Irlande).

L'érosion des sols

☐ L'érosion correspond à l'ablation et à l'entraînement de particules du sol sous l'effet des eaux de ruissellement et, dans certains environnements, du vent. Ce phénomène naturel (et alors compensé par l'altération de la roche-mère) a été considérablement amplifié par les pratiques agricoles et la déforestation. Aux États-Unis, l'érosion affecte ainsi un tiers des surfaces cultivées, alors qu'en Australie une estimation suggère qu'une masse de terre égale à 6 fois une masse végétale produite est perdue par érosion !

☐ Le surpâturage est une cause majeure de la dégradation du couvert forestier. L'augmentation des troupeaux, du fait de l'accroissement démographique, et leur sédentarisation peuvent entraîner une consommation des végétaux qui excède leurs capacités de renouvellement.

☐ La mise en culture de nouvelles surfaces a profondément modifié l'équilibre de certains écosystèmes, à l'image des grandes prairies nord-américaines, soumises à une érosion éolienne intense lorsque le sol se trouve à nu après les récoltes. Le ruissellement des eaux s'accroît sur le sol à nu. Il augmente encore si la terre est compactée en surface par le passage d'engins mécaniques ou l'emploi excessif d'engrais qui modifient la structure du sol. Dans certaines zones de montagnes, cette érosion conduit parfois à des glissements de terrain dramatiques. L'érosion affecte aussi les zones de plaines, qui peuvent perdre jusqu'à 20 tonnes de sol par an et par hectare (un sol de 20 cm d'épaisseur correspond à une masse de 3 000 tonnes à l'hectare).

La latéritisation

Celle-ci, encore appelée ferrallitisation, s'observe dans les zones équatoriales et tropicales humides. C'est le développement, en surface du sol, d'une cuirasse dure, de couleur rouge, rappelant la brique. Cette cuirasse se forme à partir de sols tropicaux de zones humides, initialement recouverts de forêts. La disparition de ces dernières accroît la dégradation des minéraux de la roche et détermine la formation d'oxydes de fer dont l'accumulation produit la cuirasse. Cette formation est quasiment irréversible et rend très difficile le retour de la végétation.

La salinisation

Dans les pays à climat sec, l'irrigation, liée à un mauvais drainage et à une forte évaporation, peut provoquer une concentration de certains éléments chimiques, dont les sels, dans les zones superficielles des sols. Cette accumulation de sodium réduit considérablement la fertilité du sol. Cette évolution touche une part non négligeable des terres irriguées des différents pays du monde (40 % en Égypte, 25 % aux États-Unis).

LA DÉSERTIFICATION

■ L'extension de la désertification

La désertification est un ensemble de processus de dégradation des sols et des écosystèmes, qui donnent peu à peu des caractères désertiques à certaines régions.

La désertification frappe aujourd'hui plus de 30 millions de km², distribués dans une soixantaine de pays dont le Brésil, la Chine et de nombreux États d'Afrique, peuplés de près d'un milliard d'hommes. La désertification gagne environ 6 millions d'hectares par an, à une vitesse spectaculaire dans certaines régions.

■ Les causes de la désertification

La désertification résulte principalement des activités humaines, susceptibles d'accroître les conditions d'aridité de certaines régions. L'action de l'homme peut amplifier l'effet de conditions climatiques initialement peu favorables dans des zones marquées, par exemple, par des périodes de sécheresse temporaires.

La déforestation, le surpâturage et la surexploitation des sols sont les principales causes de la désertification. La démographie croissante et la sédentarisation, pour des raisons économiques ou politiques, de populations autrefois nomades affectent l'équilibre des zones exploitées et augmentent les pressions exercées sur les milieux naturels. Les modifications des pratiques agricoles, comme la réduction de la jachère non directement productive pour les populations, appauvrissent peu à peu les ressources des sols et limitent leur reconstitution.

La désertification débute souvent par la fragmentation de la couverture végétale, ce qui laisse apparaître des surfaces dénudées de plus en plus vastes. Les sols mis à nu sont le siège de processus d'érosion, de latéritisation ou de salinisation et deviennent impropres au développement des végétaux.

Ces processus de dégradation sont d'autant plus préoccupants qu'un sol fertile est le résultat d'une évolution très lente (de quelques milliers à quelques centaines de milliers d'années) et, par suite, non renouvelable à notre échelle de temps.

Les risques de désertification

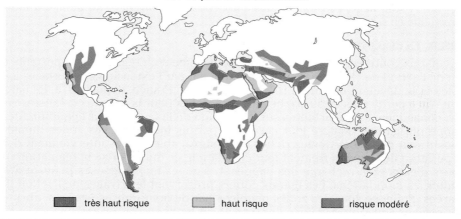

très haut risque   haut risque   risque modéré

LES MILIEUX DE VIE

L'ATMOSPHÈRE

LES EAUX

FLORE ET FAUNE

LES RISQUES

LES ÉVOLUTIONS

L'évolution des milieux aquatiques

> Les milieux aquatiques sont soumis à de multiples aménagements, d'extension variable, qui peuvent avoir des effets considérables sur la qualité des eaux et sur les êtres vivants.

La prolifération des végétaux aquatiques

☐ Dans les cours d'eau ou les lacs, les substances organiques sont en permanence dégradées par les micro-organismes de l'eau qui assurent ainsi une auto-épuration des eaux. Ces processus naturels sont consommateurs d'oxygène. Le carbone est éliminé sous forme de CO_2 alors que les autres éléments (azote, phosphore...) sont remis en solution, pouvant être utilisés dans la croissance de nouveaux végétaux chlorophylliens. Dans certaines conditions naturelles, des bassins fermés (étangs, lacs) montrent un enrichissement lent en matières organiques et, par suite, une prolifération des végétaux, parfois accentuée par le comblement lent du bassin, par accumulation de vases. Ce processus est l'eutrophisation.

☐ L'augmentation de la concentration en nitrates et en phosphates, due à la pollution, peut provoquer un développement excessif des organismes, notamment du phytoplancton, recouvrant l'eau d'une couche verte. Cette production augmente la quantité de matières organiques présentes dans l'eau, ce qui accroît encore les processus de dégradation. La conséquence est un appauvrissement du milieu en oxygène, préjudiciable en particulier aux poissons. L'évolution peut conduire à la mort de l'écosystème où se développent des vases putrides, résultant de la dégradation anaérobie (sans oxygène) des végétaux. La sauvegarde des milieux passe alors par une meilleure épuration des apports, à l'image des efforts faits pour le lac d'Annecy dont la qualité est aujourd'hui restaurée.

☐ Ces phénomènes expliquent certaines hécatombes de poissons, constatées lors de pollutions importantes de matières organiques : la dégradation de celles-ci appauvrit brutalement le milieu en oxygène et provoque l'asphyxie des poissons. Ces effets sont accentués en été, les eaux chaudes contenant initialement moins d'oxygène en solution.

La disparition des zones humides

Les marais continentaux et côtiers sont actuellement en régression importante du fait de l'action de l'homme, motivée notamment par l'extension des surfaces agricoles et le développement du tourisme. Ainsi, en France, depuis 1973, le marais poitevin a perdu plus de 30 000 hectares, asséchés pour la culture céréalière, avec des conséquences importantes sur l'évolution de la faune et sur l'équilibre de la nappe phréatique. Malgré leur caractère parfois insalubre, ces zones humides constituent des écosystèmes riches et irremplaçables : elles interviennent dans l'épuration des eaux et freinent leur circulation, ce qui favorise la régulation des cours d'eaux et la recharge des nappes. Les zones marécageuses peuvent ainsi limiter les inondations. Les marais côtiers préservent les rivages de l'action des marées. Enfin, ce sont des zones peuplées par de nombreuses espèces, abritant des oiseaux aquatiques et limicoles (vivant sur les zones vaseuses).

L'AMÉNAGEMENT DES COURS D'EAU

■ Les barrages

De nombreux fleuves font l'objet d'aménagement hydrauliques dont les finalités sont diverses : l'énergie de l'eau retenue peut être convertie en énergie électrique grâce aux turbines des centrales hydroélectriques. Les barrages peuvent aussi assurer une régulation du débit du cours d'eau, soutenant celui-ci lors des périodes de sécheresse ou, au contraire, retenant l'eau pour éviter des inondations. Les retenues représentent des réservoirs pour l'irrigation. Elles constituent souvent des atouts touristiques. L'impact d'une retenue sur l'environnement est cependant loin d'être négligeable, et les effets ne sont parfois observés qu'*a posteriori*.

■ Le barrage d'Assouan (Égypte)

L'exemple du barrage d'Assouan, construit dans les années 60 en Haute-Égypte sur le Nil, montre les effets contrastés des barrages.
La retenue (lac Nasser, superficie dépassant 6 000 km^2) a permis d'accroître considérablement les surfaces agricoles de l'Égypte, passées de 2,85 à 3,6 millions d'hectares. La production électrique a soutenu la modernisation de l'industrie, alors qu'étaient régulées les crues du Nil et développés la navigation fluviale et le tourisme. La pêche dans le lac Nasser est une source nutritive importante.
La mise en eau du barrage a cependant de nombreuses conséquences sur l'environnement : le barrage retient les limons fertiles habituellement charriés par le fleuve (de 50 à 180 millions de tonnes par an), qui font alors défaut aux régions situées en aval, ce qui impose le recours aux engrais. En outre, la force érosive du fleuve est accrue. Le déficit en limons se fait sentir jusqu'au niveau du delta, moins alimenté et qui recule : le recul constaté en certaines zones a atteint de 8 à 15 mètres par an. Les apports nutritifs en mer (nitrates, phosphates…) sont amoindris, ce qui a réduit le développement du plancton (disparition des « efflorescences » phytoplanctoniques, qui coloraient les eaux de rouge) et, par suite, les populations de sardines et de thons. Enfin, la retenue elle-même est le siège de modifications écologiques : le développement excessif de la jacinthe d'eau peut, à terme, réduire la production de poissons. Du fait de l'irrigation, l'extension de certaines maladies parasitaires comme la bilharziose, dont l'un des hôtes est un gastéropode aquatique, pourrait être modifiée.

L'aménagement des fleuves reste toujours objet de polémiques, comme l'attestent les projets d'aménagement de la Loire ou la mise en eau du barrage de Petit-Saut, en Guyane.

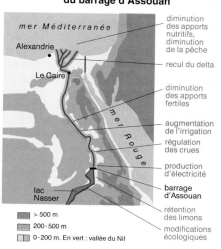

Les effets de la construction du barrage d'Assouan

diminution des apports nutritifs, diminution de la pêche
recul du delta
diminution des apports fertiles
augmentation de l'irrigation
régulation des crues
production d'électricité
barrage d'Assouan
rétention des limons
modifications écologiques

> 500 m
200-500 m
0-200 m. En vert : vallée du Nil

LES MILIEUX DE VIE
L'ATMOSPHÈRE
LES EAUX
FLORE ET FAUNE
LES RISQUES
LES ÉVOLUTIONS

L'évolution du littoral

Les lignes de rivage sont des zones en évolution permanente, modelées par les apports des fleuves et les courants marins. L'homme peut agir de manière importante sur elles, modifiant les effets naturels. Les impacts des aménagements restent difficiles à prévoir et imposent prudence et rigueur.

Les facteurs d'évolution

☐ La position du littoral peut évoluer naturellement, par exemple du fait des apports sédimentaires des fleuves et des courants côtiers, qui redistribuent les sédiments le long du rivage.

☐ Les plages de sable peuvent ainsi subir de perpétuels remaniements sous l'action des houles : elles se creusent lors des tempêtes ou s'engraissent parfois par faible houle.

☐ La plupart des fonds de baie apparaissent naturellement comme des lieux d'accumulation de sédiments, à l'image de la baie du Mont-Saint-Michel (un million et demi de m^3/an), ce qui peut accroître les difficultés d'aménagement. Les estuaires peuvent être les lieux de dépôts de bouchons vaseux, liés à l'agrégation en flocons, au contact de l'eau de mer, des particules d'argiles initialement contenues en suspension dans l'eau des fleuves.

L'aménagement des estuaires

☐ Abris naturels, parcourus sur de longues distances par le flot de la marée, les estuaires sont depuis longtemps le siège de ports importants, comme Anvers, Londres, Hambourg ou, en France, Rouen, Nantes et Bordeaux. Lutter contre l'envasement et permettre la remontée de bateaux de tonnages toujours plus importants ont été les principaux objectifs des aménagements.

☐ Le dragage de sédiments en grande quantité est cependant susceptible de modifier de manière considérable les caractères de l'estuaire. Par exemple, des extractions importantes de sédiments dans la Loire, en amont de Nantes, ont modifié l'équilibre du chenal et ainsi accru la vitesse des courants et la pénétration vers l'amont de l'onde de marée : la limite entre eaux douces et eaux salées, où se dépose le bouchon vaseux, est ainsi remontée, posant des problèmes d'envasement dans le port de Nantes et d'approvisionnement en eau douce du fait d'infiltrations d'eaux salées. La construction de digues dans l'estuaire de la Seine a limité la largeur du chenal, augmentant la vitesse moyenne d'écoulement des eaux douces et repoussant le bouchon vaseux vers l'aval.

☐ Les sédiments dragués peuvent faire défaut aux zones adjacentes à l'estuaire qu'ils alimentaient grâce aux courants côtiers et modifier ainsi l'équilibre du littoral. Les aménagements peuvent également avoir de profondes conséquences biologiques, par les modifications qu'ils provoquent dans la vitesse des courants et le devenir des sédiments apportés par les fleuves, souvent riches en polluant divers.

☐ La prévision des impacts d'un aménagement peut faire appel à la simulation par des modèles, modèles réduits, permettant de reproduire un phénomène à une échelle donnée, ou modèles numériques, traités par ordinateurs, prenant en compte les multiples variables du système considéré.

■ La préservation de l'environnement littoral

Cet objectif a présidé à la création, en 1975, du Conservatoire de l'espace littoral et des rivages lacustres, chargé pour le compte de l'État d'acquérir des terrains côtiers et d'éviter l'urbanisation de tout le littoral. Le Conservatoire a aujourd'hui acheté environ 500 km de rivages maritimes (soit environ 50 000 hectares), comprenant nombre de sites remarquables comme la pointe du Raz, et se fixe comme objectif l'acquisition, dans les décennies futures, de 20 % du littoral.

La préservation du littoral impose aussi beaucoup de précautions dans la construction d'ouvrages littoraux (ports, jetées, plages artificielles...). Par exemple, la protection des maisons A et B, construites de manière imprudente sur la dune littorale et menacées par les vagues de tempête, peut conduire à la construction d'épis, ralentissant le courant côtier, dont les sédiments se déposent, élargissant la plage en face des maisons menacées. Mais ce dépôt provoque un déficit de l'alimentation en sédiments et un recul de la plage devant les maisons C et D, initialement bien installées et alors menacées. La construction de nouveaux épis ne fait que rejeter le problème plus loin.

Les conséquences d'un aménagement

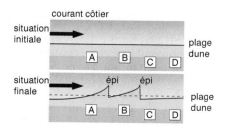

■ Le maintien de la santé publique

La surveillance a également pour objet le maintien de la santé publique, avec le contrôle de la qualité des eaux de baignade et des coquillages destinés à la consommation. Un ensemble de réseaux, gérés par l'Ifremer (Institut français de recherche pour l'exploitation de la mer) a été mis en place : cet ensemble comprend le réseau national d'observation de la qualité du milieu marin, chargé d'analyser les caractéristiques des eaux en différents sites ; les paramètres mesurés sont, entre autres, la température, la salinité, les sels minéraux (nitrate, ammonium, phosphate), la chlorophylle. Il comprend aussi le réseau de surveillance microbiologique, qui contrôle l'absence de bactéries pathogènes dans les coquillages (coliformes fécaux, salmonelles) en effectuant des prélèvements mensuels en différents points du littoral. Enfin, il existe un réseau de surveillance du développement du phytoplancton ; il s'intéresse à la prolifération de certaines algues microscopiques qui peuvent parfois se développer en quantité telle que l'eau de mer en est colorée (« marées brunes, rouges ou vertes », selon les cas).

■ Les « marées colorées »

Dinophysis est une algue planctonique qui produit une toxine diarrhéique. Cette espèce apparaît aujourd'hui en expansion et affecte régulièrement une grande partie du littoral français (Normandie, littoral atlantique – du Finistère à la Gironde –, littoral méditerranéen – de l'Espagne aux Bouches-du-Rhône). *Alexandrium* est plus récemment apparue en Bretagne et libère une toxine paralytique. La présence de ces algues interdit la pêche des coquillages.

LES MILIEUX DE VIE

L'ATMOSPHÈRE

LES EAUX

FLORE ET FAUNE

LES RISQUES

LES ÉVOLUTIONS

Des espaces sauvegardés

Dès le XIXe siècle, de nombreux scientifiques se sont inquiétés des menaces pesant sur les espèces animales et végétales. Une prise de conscience internationale a peu à peu conduit à la définition de zones protégées. Celles-ci sont de différents types ; les plus connus sont les parcs nationaux.

La création d'espaces préservés

L'Union internationale pour la conservation de la nature et de ses ressources (UICN) est un organisme fondé en 1948 et dont le siège est à Genève. Devenu en 1988 l'Alliance mondiale pour la nature, cette organisation comporte des représentants d'États et d'associations non gouvernementales et a pour rôle de développer des mesures pour la protection de la flore et de la faune. Il recense pour le compte des Nations unies les aires protégées dans le monde. En 1971, l'Unesco a lancé le programme MAB (Man and Biosphere), conduisant entre autres à la réalisation d'un réseau mondial de zones protégées, les réserves de la biosphère (plus de 270), dont l'évolution peut être étudiée.

Les différents types de zones protégées

□ L'Alliance mondiale pour la nature classe les aires protégées en différentes catégories, les principales étant les réserves scientifiques, les parcs nationaux, les sites naturels exceptionnels, les réserves naturelles et les paysages protégés. Ces zones, au nombre d'environ 7 000 dans le monde, couvrent plus de 6 millions et demi de km^2 (soit environ 12 fois la France). Elles s'observent dans la plupart des pays, correspondant aux différents milieux, de la toundra (20 % des surfaces protégées) aux forêts tropicales et aux déserts chauds. La zone protégée la plus vaste est le Parc national du nord-est du Groenland, dont la superficie est de 700 000 km^2 (plus vaste que la France).

□ Le premier parc national, créé en 1872, est le parc de Yellowstone, aux États-Unis. De manière générale, les parcs nationaux correspondent à des territoires étendus, contenant souvent différents écosystèmes et peu ou pas transformés par l'homme. Une flore et une faune riches et intéressantes peuplent des paysages souvent remarquables. Ces parcs peuvent parfois renfermer les derniers représentants d'espèces menacées, à l'image du parc des Virunga, au Zaïre, peuplé par les derniers gorilles des montagnes.

□ L'accès aux parcs nationaux et leur visite font l'objet de réglementations. La constitution et la structure d'un parc national varient d'un pays à l'autre, les terrains n'appartenant parfois qu'à l'État ou pouvant, au contraire, être la propriété de collectivités locales ou de particuliers. Dans certains pays relativement petits et peuplés comme la France, les parcs présentent souvent une zone centrale protégée entourée d'une zone périphérique, le préparc, qui fait tampon avec les espaces non protégés. Outre les parcs nationaux, des parcs régionaux et/ou des réserves naturelles existent dans certains pays. Souvent, les réserves naturelles correspondent à des zones moins étendues et présentent un intérêt plus spécifique (réserves ornithologique, botanique, géologique...). Résultant d'initiatives publiques ou privées, elles ont des caractères variables d'un pays à un autre.

LES ESPACES PROTÉGÉS EN FRANCE

■ Les parcs nationaux

Il existe en France sept parcs nationaux dont six en métropole, le septième étant situé en Guadeloupe (créé en 1989, sur 17 400 ha, avec des zones forestières et marines). La création des parcs nationaux date de 1961. Ils correspondent à des zones dépourvues d'occupation humaine, à l'exception du parc des Cévennes. Leur superficie et leurs contours, parfois irréguliers (à l'exemple du parc pyrénéen), ne permettent pas toujours de couvrir entièrement l'aire de séjour d'une espèce protégée.

■ Les parcs régionaux

Les parcs régionaux sont des espaces protégés du fait de leur intérêt naturel (et culturel) et, par suite, touristique. Créés en 1967, ils sont l'œuvre des collectivités régionales et ne possèdent pas de réglementation définie à l'échelle nationale. Ils sont aujourd'hui au nombre de 27 et couvrent plus de 3,5 millions d'ha. De nouveaux parcs sont en projet, la décentralisation donnant un rôle accru aux pouvoirs locaux.

■ Les réserves naturelles

Les réserves naturelles sont des espaces présentant un intérêt écologique de statut très variable. Les réserves naturelles intégrales ne sont généralement pas ouvertes au public. Elles assurent la conservation d'espèces rares et constituent des lieux privilégiés pour la recherche scientifique.

Enfin, certains espaces français s'inscrivent dans des programmes de protection internationaux, comme les Cévennes, qui constituent une réserve de la biosphère inscrite dans le programme MAB de l'Unesco, ou la Camargue.

Les parcs naturels et les réserves naturelles en France

Boulonnais
Plaine de l'Escaut (10 300 ha)
Marais du Cotentin
Sept-Îles
Brotonne (12 000 ha)
Montagne de Reims
Vosges du Nord (110 000 ha)
Ouessant
Cerizy
Forêt d'Orient (60 000 ha)
Lorraine
Armorique (65 000 ha)
Normandie Maine (234 000 ha)
Cap Sizun
Ballons des Vosges
Brière (40 000 ha)
Morvan (60 000 ha)
Marais poitevin (40 000 ha)
Brenne
Vanoise 1963 (53 000 ha)
Volcans d'Auvergne
Livardois-Forez
Écrins 1973 (91 800 ha)
Étang noir
Pilat
Cévennes 1970 (84 200 ha)
Queyras (60 000 ha)
Landes de Gascogne (206 000 ha)
Vercors (135 000 ha)
Lubéron (120 000 ha)
Mercantour 1979 (68 500 ha)
Haut-Languedoc (145 000 ha)
Camargue
Pyrénées occidentales 1967 (46 000 ha)
Néouvielle
Camargue (85 000 ha)
Port-Cros 1963 (700 ha + 1800 ha de zone marine)
Corse (150 000 ha)

● **Parcs nationaux**
préservation des sites et des espèces ; accès autorisé

○ **Parcs naturels régionaux**
protection de la nature, accès autorisé

• **Réserves naturelles intégrales**
généralement non ouvertes au public

LES MILIEUX DE VIE

L'ATMOSPHÈRE

LES EAUX

FLORE ET FAUNE

LES RISQUES

LES ÉVOLUTIONS

Environnement et société actuelle

> Les progrès techniques et l'accroissement démographique provoquent aujourd'hui des modifications de l'environnement à des vitesses inconnues jusqu'alors.

Des évolutions accélérées

☐ Les défrichements des débuts de notre ère ou la domestication d'espèces sauvages sont parmi les exemples qui montrent que l'homme a de tout temps modifié les milieux naturels. Mais jusqu'au XXe siècle, les perturbations restaient localisées au niveau des foyers d'activités où s'étaient établis les hommes. L'originalité, terrifiante, de l'époque moderne est que l'homme a, pour la première fois, acquis la capacité d'affecter l'ensemble de la planète, à l'image du nuage radioactif de Tchernobyl qui a fait le tour du globe.

☐ Outre leur extension géographique et leur ampleur, les modifications actuelles liées aux activités humaines se caractérisent par leur grande rapidité, de nombreux paramètres montrant des variations considérables au cours d'une seule génération humaine, voire au cours d'une seule dizaine d'années. Les menaces actuelles sur l'environnement peuvent ainsi conduire à des ruptures brutales dans les grands équilibres naturels. À ce titre, il est inquiétant d'observer l'apparition simultanée – et la croissance rapide – de nouveaux dangers : disparition de la couche d'ozone, augmentation de l'effet de serre, pluies acides, pollution des eaux, accélération de la déforestation et de la désertification, diminution de la biodiversité… Ces perturbations conjointes semblent montrer que l'on s'approche dangereusement de la limite de ce que peuvent supporter les écosystèmes naturels et, plus largement, la biosphère.

Environnement et inégalités de développement

☐ Les différentes régions du monde présentent des inégalités de développement considérables. Celles-ci s'observent notamment entre les pays riches du Nord (Amérique du Nord, Europe, Japon), où le revenu annuel moyen par habitant est de l'ordre de 20 000 dollars, et les pays en voie de développement du Sud (Afrique, Amérique du Sud…), où le revenu moyen descend à 350 dollars.

☐ Ce partage très inégal des richesse a des impacts écologiques importants. Le niveau de vie élevé des pays riches repose sur une grande consommation des ressources de la Terre, comme les ressources énergétiques, et sur la production constante de nouveaux produits. Ces pays portent ainsi une lourde responsabilité dans les modifications écologiques à l'échelle de la planète : selon des estimations, en 1990, les émissions du dioxyde de carbone, qui accroissent l'effet de serre, auraient été à 50 % le fait des pays industrialisés (Amérique du Nord, Japon, Europe), à 15 %, le fait des ex-pays de l'Est et de la Russie, à 10 % de la Chine, l'ensemble des autres pays en voie de développement n'étant responsable que de 15 % des émissions. Dans ces pays, la pauvreté et la croissance démographique conduisent toutefois souvent à une surexploitation des milieux naturels et à une expansion non maîtrisée des milieux urbains.

LA MER D'ARAL À L'AGONIE

■ L'évolution de la mer d'Aral

Des zones désertiques et salées, jonchées de bateaux échoués, des eaux polluées et des ports aujourd'hui distants de plusieurs dizaines de kilomètres du rivage, telles sont les images qu'offre aujourd'hui la région de la mer d'Aral, en Asie centrale, partagée entre le Kazakhstan et l'Ouzbékistan. Cette catastrophe écologique d'ampleur inégalée est la conséquence d'une gestion irresponsable du milieu par l'homme, qui a développé de manière inconséquente, sur plus de 7 millions d'hectares, la monoculture du coton, puissamment irriguée, jusqu'à assécher les fleuves Syr Daria et Amou Daria qui alimentaient autrefois la mer. L'Aral était le quatrième grand lac du monde. Entre 1960 et 1990, son niveau a baissé de 14 mètres (0,7 mètre au cours de la seule année 1989) alors que sa surface diminuait de 40 %. En 1988, la mer d'Aral donnait naissance à deux plans d'eau séparés. La salinité, autrefois d'environ 10 g/L, a triplé et ne cesse de croître. Cette évolution s'explique par des apports devenus inexistants du fait de l'utilisation des fleuves pour l'irrigation du coton. Les bilans réalisés font d'ailleurs apparaître un énorme gaspillage des ressources, du fait notamment de la mauvaise qualité des réseaux d'irrigation.

■ Les conséquences de l'évolution

Elles sont multiples et dramatiques. L'évolution de la qualité des eaux a provoqué la mort de tous les poissons autrefois pêchés en abondance (esturgeons, brochets, brèmes ou chevesnes...). Le recul de la mer (parfois sur plus de 100 km) et la disparition de la pêche en 1979 ont plongé dans une crise sociale considérable les villes de Aralsk et de Mouïnak, où étaient développés conserveries et chantiers navals. L'assèchement du delta de l'Amou Daria a entraîné la disparition de la plupart des espèces animales, dont il ne reste que 38 espèces sur 178. Avec le recul de la mer, le climat est devenu plus contrasté alors que le vent entraîne sur toute la région des particules salées pouvant affecter la fertilité des sols. L'utilisation massive d'engrais, de pesticides ou d'herbicides a profondément pollué les eaux, posant de graves problèmes de santé publique à plus de trois millions de personnes : en vingt ans, la mortalité infantile a été multipliée par 1,6 alors qu'augmentent affections intestinales et cancers.

■ L'avenir

Le coût écologique, social et sanitaire est sans relation avec le bénéfice des productions agricoles récoltées. Il est tel que seules des mesures importantes (réorientation du développement agricole...) pourraient peut-être freiner les évolutions actuelles jusqu'à une stabilisation du niveau et restaurer des conditions écologiques favorables à la vie.

L'évolution de la mer d'Aral

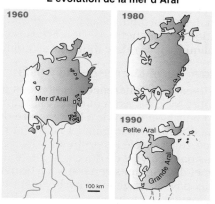

LES MILIEUX DE VIE

L'ATMOSPHÈRE

LES EAUX

FLORE ET FAUNE

LES RISQUES

LES ÉVOLUTIONS

Environnement et coopération internationale

La gravité des menaces qui pèsent sur les milieux naturels a conduit à établir de multiples accords internationaux dont l'adoption et la mise en application restent souvent difficiles.

Les difficultés d'établissement

☐ Sous la pression de leur opinions publiques, de plus en plus sensibles à l'écologie, les pays industrialisés tendent à promouvoir des réglementations pour limiter les atteintes à l'environnement. Leur richesse et leur maîtrise technologique permettent la mise en place de nouvelles techniques ou l'élaboration de produits de substitution, qui réduisent les rejets polluants sans affecter les modes de vie.

☐ Les pays en voie de développement, quant à eux, estiment n'avoir que peu de responsabilités sur certaines évolutions, comme l'accroissement de l'effet de serre ou la dégradation de la couche d'ozone. Confrontés par ailleurs à des difficultés financières, leur souci majeur reste la croissance économique, même au prix d'une dégradation profonde de l'environnement. La prise en compte des aspects écologiques ne peut se faire qu'avec l'assistance financière et technique des pays développés, assistance dont la mise en place est lente et difficile.

☐ Les incertitudes scientifiques qui existent dans bien des domaines fournissent parfois des arguments contradictoires ne facilitant pas les prises de décision.

Les principales conventions internationales

En 1972, sous l'égide des Nations unies, a lieu à Stockholm la Conférence internationale sur l'homme et son milieu. Elle s'intéresse à la lutte contre les pollutions et définit un plan d'action contre le sous-développement. Au cours des vingt dernières années, de nombreuses conventions internationales sont adoptées, parmi lesquelles, la Cites (1973 — Convention sur le commerce international des espèces animales et végétales en péril), la Convention sur le droit de la mer (1982, qui s'intéresse à la pollution marine), la Convention de Vienne (1985, en vue de protéger la couche d'ozone), le Protocole de Montréal (1987, qui s'intéresse à la limitation des chlorofluorocarbones ou CFC), la Convention de Bâle (1989, relative à la gestion des déchets). De nombreuses conventions attendent cependant pour être appliquées leur ratification par un nombre suffisant d'États.

La conférence de Rio (1992)

La deuxième conférence des Nations unies sur l'environnement et le développement (CNUED) s'est tenue vingt ans après, en 1992, à Rio de Janeiro (Brésil). Elle a été l'occasion d'ouvrir à la signature deux conventions, l'une sur la préservation de la diversité biologique et l'autre sur les changements climatiques. Cette conférence, qui a révélé les profondes divergences entre les pays industrialisés du Nord et les pays en voie de développement du Sud, n'a conduit, pour l'essentiel, qu'à un rappel de principes généraux. La Convention sur le climat, paraphée par de nombreux pays, engage les pays développés à ramener et à maintenir leurs émissions de dioxyde de carbone au niveau de 1990.

LA PRISE EN COMPTE POLITIQUE DE L'ENVIRONNEMENT

■ Le développement des associations

La prise en compte de l'environnement est longtemps restée faible, les sociétés industrielles se souciant surtout de développement économique. Les premiers espaces protégés sont créés avec, par exemple, en 1872, la création du parc national de Yellowstone par le gouvernement des États-Unis. Cette période voit la naissance d'associations de protection de la nature (Ligue pour la protection des oiseaux, 1912) alors que siègent les premières conférences internationales (Berne, 1913 ; Paris, 1923).

WWF

La prise de conscience de l'écologie ne s'est réellement manifestée qu'à partir de la fin de la Seconde Guerre mondiale. L'utilisation de l'énergie nucléaire, avec l'explosion d'Hiroshima, a contribué largement à l'éveil des courants écologiques. Plus récemment, l'apparition des marées noires et la catastrophe nucléaire de Tchernobyl ont accru la sensibilisation aux problèmes d'environnement. Celle-ci se marque par la création et l'expansion de nombreuses associations. Il existe aujourd'hui en France plus de 25 000 associations de protection agissant à l'échelle locale. Nombre d'entre elles sont fédérées au sein de France Nature Environnement.
1959 : Fondation du WWF : World Wildlife Fund (Fonds mondial pour la nature).
1969 : Création de l'association Les Amis de la Terre.
1971 : Fondation de l'association Greenpeace qui comprend aujourd'hui trois millions d'adhérents.

■ L'écologie politique

La prise en compte de l'écologie s'est manifestée au niveau politique avec la création de nombreux organismes chargés de l'élaboration de conventions de protection, à l'échelle nationale ou internationale. Des ministères de l'Environnement sont créés. Parmi les nombreuses dates, on peut retenir :
1948 : création de l'Union internationale pour la conservation de la nature.
1960 : création en France d'une réglementation sur les parcs nationaux.
1971 : création en France du ministère de l'Environnement. Depuis, un ministère de l'Environnement est reconduit par tous les gouvernements sous des appellations diverses.
1974 : premier candidat écologiste à l'élection présidentielle (René Dumont). Des candidats se présenteront aux élections présidentielles ultérieures (1981, 1988, 1995).
1980 : création en Allemagne du parti politique les Verts (Die Grünen), qui entre au Bundestag en 1983.

1984 : création du parti politique, en France, les Verts.
1987 : Année européenne de l'environnement.
Depuis 1984, les écologistes influent sur la vie politique française, notamment lors des élections européennes et régionales qui, se réalisant selon un mode proportionnel, ont permis l'élection de nombreux candidats.

LES MILIEUX DE VIE
L'ATMOSPHÈRE
LES EAUX
FLORE ET FAUNE
LES RISQUES
LES ÉVOLUTIONS

Un continent préservé : l'Antarctique

L'Antarctique constitue un continent aussi vaste que l'Europe. Il est l'objet d'une protection internationale garantie par un ensemble de traités qui en font un milieu préservé.

Un milieu original

L'Antarctique est un continent isolé, dont l'altitude maximum dépasse 4 000 mètres, et recouvert d'une calotte glaciaire dont l'épaisseur moyenne est de 2 500 mètres. Il constitue un milieu caractérisé par de basses températures, qui peuvent descendre au-delà de – 70 °C, et des vents violents, dits catabatiques, qui atteignent parfois 300 km/h. Sa position au pôle fait considérablement varier la longueur du jour au cours de l'année. La végétation, rare, se réduit à des lichens et à des mousses. La vie animale n'est abondante qu'en périphérie du continent en relation avec le milieu marin. L'Antarctique apparaît en effet ceinturé par un système de courants de 200 à 1 000 kilomètres de large, circulant d'ouest en est, certains réalisant des remontées d'eaux profondes riches en éléments nutritifs. Les zones côtières sont ainsi des zones de forte productivité de plancton. Celui-ci est consommé par d'innombrables crustacés de petite taille, sortes de crevettes formant le krill. Le krill est à son tour consommé par de nombreuses espèces de l'écosystème antarctique, dont les baleines.

Occupation et activités humaines

L'occupation humaine se réduit à une quarantaine de bases permanentes, dont une base française, la base Dumont d'Urville, située en bord de mer. Elles abritent des recherches scientifiques dans des domaines très divers. Les forages dans la glace et l'analyse des carottes livrent de nombreuses informations sur l'évolution de différents paramètres (comme, par exemple, la teneur en dioxyde de carbone) permettant de reconstituer l'évolution de la composition de l'atmosphère et des climats sur environ 200 000 ans.

Un milieu à protéger

L'Antarctique contient 90 % des glaces de la planète, ce qui représente 70 % des réserves d'eau douce. Il intervient de manière déterminante dans la circulation des courants océaniques et la régulation des climats mondiaux. La faune très diversifiée (mammifères marins, manchots, pétrels ou albatros…) constitue une autre richesse irremplaçable des zones antarctiques et subantarctiques (par exemple, les îles françaises de Crozet ou des Kerguelen), richesse menacée à l'époque moderne par des chasses à la baleine et des pêches excessives. L'Antarctique constitue pourtant un milieu protégé par des conventions internationales, dont le Traité de l'Antarctique, signé en 1959 par douze pays. Il reste que, malgré toutes les protections juridiques, l'Antarctique est un domaine très sensible à la pollution mondiale (présence d'insecticides identifiée jusque chez les manchots) et contient d'immenses richesses minières (dont charbons et pétroles) susceptibles un jour d'attirer des convoitises.

LA PROTECTION DE L'ANTARCTIQUE

■ Occupations humaines et zones protégées

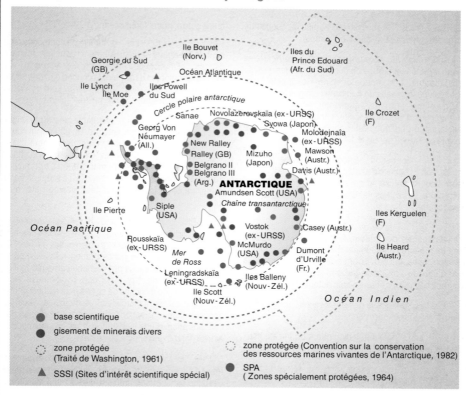

■ Les conventions internationales

Le Traité de l'Antarctique, signé initiale-ment en 1959 par douze pays (Afrique du Sud, Argentine, Australie, Belgique, Chili, Grande-Bretagne, États-Unis, France, Japon, Nouvelle-Zélande, Norvège, URSS) est entré en vigueur en 1961. Il autorise le développement des activités scientifiques, interdit toute revendication de souveraineté d'un État sur un territoire antarctique et proscrit absolument explosions nucléaires ou stockage de déchets radioactifs. Des zones de protection spéciales, où cap-tures et chasses sont interdites, ont été définies en 1964. La protection de la biodiversité fait l'objet de la Convention pour la conservation des phoques de l'Antarctique (1972) et de la Convention sur la conservation de la faune et de la flore marines antarctiques (1991). Enfin, un accord, intervenu sous la pression de l'opinion publique et l'engagement de certains scientifiques, a été signé en 1991 pour interdire toute exploitation minière en Antarctique pendant cin-quante ans. La recherche scientifique est coordonnée par un comité interna-tional, le Scar (Comité scientifique de recherches antarctiques).

Glossaire

AGROSYSTÈME : écosystème artificiel, constitué d'espèces végétales choisies par l'homme.

AMIANTE : minéraux fibreux de différents types (certains appartiennent à un groupe de minéraux appelés amphiboles, d'autres à un groupe de minéraux appelés serpentines), utilisés dans de nombreux usages (construction, garniture de freins, vêtements), notamment pour leurs qualités d'incombustibilité. Du fait de son danger pour la santé publique, l'utilisation de l'amiante a été interdite en France depuis le 1er janvier 1997.

AQUIFÈRE : formation géologique poreuse et perméable, soit à l'échelle de l'échantillon, soit à l'échelle de la formation rocheuse, et qui contient une nappe d'eau souterraine. Les sables, les calcaires sont fréquemment des aquifères.

AUTOTROPHIE : mode de nutrition qualifiant les êtres vivants capables de produire leur matière organique à partir de matières uniquement minérales. Les végétaux chlorophylliens, qui produisent leur matière organique à partir d'eau, de dioxyde de carbone et d'autres éléments minéraux comme les nitrates, sont autotrophes.

BIOCÉNOSE : ensemble des êtres vivants peuplant un milieu de vie (ou biotope) donné.

BIODIVERSITÉ : diversité biologique d'un milieu, estimée par le nombre d'espèces animales et/ou végétales peuplant ce milieu.

BIOMASSE : masse des organismes peuplant un biotope donné à l'instant considéré. La biomasse peut être calculée pour un groupe d'organismes (ex. : biomasse des mammifères) ou pour un niveau trophique particulier (ex. : biomasse des producteurs primaires). La biomasse est indiquée en unité de masse par unité de surface.

BIOSPHÈRE : ensemble des milieux du globe peuplés par des êtres vivants.

BIOTECHNOLOGIE : ensemble de techniques utilisées dans les industries alimentaires, pharmaceutiques ou agricoles et permettant d'obtenir, par voie biologique, des substances plus nombreuses, plus pures et moins coûteuses que celles obtenues par voie chimique. Ces techniques utilisent l'activité d'êtres vivants, notamment des bactéries.

BIOTOPE : milieu de vie d'un organisme, défini par un ensemble de facteurs physiques et chimiques (facteurs climatiques, composition du sol, de l'eau...). Un biotope peut être défini à des échelles très différentes : dessous

d'une pierre, mare, forêt, océan.

CFC (chlorofluorocarbones) : famille de composés organiques fabriqués industriellement pour de multiples usages : climatisation, propulsion des aérosols... Ces molécules chlorées dégradent la couche d'ozone stratosphérique et accroissent l'effet de serre. Leur production et leur utilisation sont aujourd'hui très réglementées.

CHAINE ALIMENTAIRE : ensemble des êtres vivants unis par des relations alimentaires. Un être vivant constitue un maillon de la chaîne ; il est consommé par les organismes représentant le maillon suivant de la chaîne. Exemple d'une chaîne à trois maillons (ou à trois niveaux trophiques) : herbe → lapin → renard. Le premier maillon d'une chaîne est toujours un végétal chlorophyllien autotrophe.

CONCENTRATION : masse d'un composé dissous par unité de volume d'une solution. La concentration est exprimée en grammes par litre ou en moles par litre. Elle est parfois donnée en concentration relative (ppm ou ppmv ; ppb ou ppbv). Le ppm est une partie par million : pour un gaz donné, 1 ppm et 1 ppb, par exemple, signifient qu'il y a une molécule de ce gaz pour respectivement un million ou un milliard d'autres molécules. Les bioconcentrations correspondent à une augmentation de la concentration d'une substance d'un organisme à un autre le long d'une chaîne alimentaire.

CONSOMMATEUR : organisme hétérotrophe, consommant de la matière organique prélevée dans son milieu. Certains consommateurs sont herbivores (consommateurs de 1er ordre), d'autres sont carnivores (consommateurs de 2e puis de 3e ordre).

DÉCIBEL : unité permettant de définir une intensité sonore (symb. dB). L'intensité est mesurée par rapport à une puissance sonore de référence, correspondant au seuil de sensibilité de l'oreille.

DÉFORESTATION : élimination d'au moins 90 % de la couverture forestière couvrant une surface donnée.

DÉSERTIFICATION : ensemble de processus de dégradation des sols et des écosystèmes, donnant peu à peu des caractères désertiques à certaines régions.

DIOXYDE DE CARBONE : gaz atmosphérique de formule CO_2 (0,033 % de l'air). Ce gaz est naturellement libéré par les êtres vivants lorsqu'ils respirent ou réalisent certaines fermentations. Il est également produit par la combustion de matières végétales et de roches énergétiques (charbons et pétroles). Il est utilisé par les végétaux chlorophylliens pour faire leur matière organique par photosynthèse. Dans l'atmosphère, le dioxyde de carbone est un gaz dit « à effet de serre ».

ÉCOLOGIE : science qui s'intéresse aux relations entre les êtres vivants et leur environnement, ainsi qu'aux relations qui unissent les différents organismes peuplant un même milieu.

ÉCOSYSTÈME : ensemble associant un milieu de vie donné (biotope) et les êtres vivants qui le peuplent (biocénose). Le fonctionnement d'un écosystème repose sur les multiples relations qui unissent les êtres vivants entre eux et avec leur milieu (effets des facteurs du milieu sur les organismes, modifications des caractères du milieu sous l'effet des êtres vivants). Les écosystèmes peuvent être d'échelles très différentes, par exemple : écosystème étang, écosystème sol, écosystème forêt, écosystème océan.

EFFET DE SERRE : piégeage par l'atmosphère d'une partie du rayonnement infrarouge émis par la Terre, ce qui participe à l'échauffement de la basse atmosphère. Les gaz dits « à effet de serre » accroissent ce piégeage. L'effet de serre est un phénomène naturel, mais les activités humaines sont aujourd'hui responsables de son augmentation.

HÉTÉROTROPHIE : mode de nutrition qualifiant les êtres vivants ne pouvant produire leur matière organique qu'à partir de matières organiques consommées. Les animaux, qui produisent leur matière organique à partir des protides, des glucides ou des lipides qu'ils ingèrent, sont hétérotrophes.

MAGNITUDE : mesure de la puissance d'un séisme estimée selon l'échelle de Richter. Elle est calculée à partir de l'amplitude des ondes enregistrées par les sismographes. Celle-ci est d'autant plus grande que l'énergie libérée par le séisme est élevée.

MATIÈRE ORGANIQUE : matière caractéristique des êtres vivants. Les principaux types de molécules organiques sont, entre autres, les glucides, les lipides et les protides.

NITRATE : molécule azotée de formule NO_3^-. Les nitrates du sol sont utilisés par les végétaux pour faire leurs protides. Les nitrates sont naturellement produits par la dégradation de molécules organiques azotées (protides, urée...) par les bactéries du sol ou des eaux. Apportés en abondance par les engrais, ils peuvent atteindre des concentrations préoccupantes dans les eaux.

NIVEAU TROPHIQUE : place d'un organisme dans une chaîne alimentaire. On distingue le niveau des producteurs primaires qui sont les organismes chlorophylliens à la base des chaînes alimentaires et les niveaux des

consommateurs herbivores, puis carnivores.

NUÉE ARDENTE : émission brutale, à grande vitesse et à haute température, d'un mélange de gaz et de particules de magma. Les nuées ardentes sont parmi les manifestations volcaniques les plus dangereuses.

OZONE : gaz de formule O_3, en très faible proportion dans l'air atmosphérique. Dans la haute atmosphère (stratosphère), l'ozone forme une couche mince, qui protège la Terre de certains rayonnements ultraviolets. Dans la basse atmosphère, la concentration d'ozone peut augmenter sous l'effet de la pollution et avoir des effets irritants. L'ozone est utilisé dans la purification des eaux potables.

PESTICIDE : substance destinée à protéger les végétaux contre tous les organismes nuisibles et à détruire les végétaux indésirables. Les pesticides, très variés, comprennent, par exemple, les herbicides, les fongicides, les insecticides.

PHOTOSYNTHÈSE : synthèse de molécules organiques (glucides, lipides, protides) à partir de composés minéraux (eau, dioxyde de carbone, nitrates...) grâce à l'énergie lumineuse captée par la chlorophylle.

PLUIE ACIDE : précipitation qui présente une acidité anormalement élevée par rapport aux précipitations recueillies dans des environnements non pollués. Elles sont pour l'essentiel liées aux émissions de dioxyde de soufre et d'oxydes d'azote.

PRODUCTEUR PRIMAIRE : organisme autotrophe capable de fabriquer de la matière organique à partir de matières uniquement minérales. Les producteurs primaires sont les végétaux chlorophylliens. Les producteurs primaires constituent le premier niveau trophique des chaînes alimentaires.

PRODUCTIVITÉ : accroissement de la biomasse au cours du temps. La productivité primaire correspond à l'augmentation de la masse des végétaux chlorophylliens, la productivité secondaire, à l'accroissement de la masse des consommateurs.

RADIOACTIVITÉ : émission de rayonnements électromagnétiques ou de particules par désintégration de certains atomes instables, ou radioactifs, qui se transforment spontanément en d'autres éléments chimiques, en libérant de l'énergie. L'uranium, le plutonium sont des éléments radioactifs.

TRANSGÉNIQUE : se dit d'un organisme dans lequel a été introduit artificiellement un gène étranger.

TROPHIQUE : relatif à la nutrition. Les relations trophiques sont les relations alimentaires qui unissent des êtres vivants au sein d'un écosystème donné.

INDEX

INDEX

Crédit photographique
p. 49 : ministère de l'Environnement - **p. 69** : BRGM -
p. 97 : bg : Cosmos / G. Bernard - SPL ;
hd : Bios / Paul Barruel ;
bd : Explorer / Mary Evans Library -
p. 139 : Explorer - **p. 153** : Greenpeace -
p. 153 : WWF - Fonds mondial pour la nature.

Édition : Cécile Geiger
Secrétariat d'édition : Sylvie Claval
Mise en page : Polyphile
Illustrations : Fractale
Maquette de couverture : Favre - Lhaïk
Illustration de couverture : Guillaume de Montrond - Arthur Vuarnesson
Iconographie : Anne Douin, Laure Penchenat
Fabrication : Pierre David

N°d'Éditeur : 10100100 - (VI) - 18 - CABL - 80° - C2000
Dépôt légal : Décembre 2002
Imprimé par CLERC S.A. - 18200 Saint-Amand-Montrond - N° d'imprimeur : 7617
Imprimé en France